LES VOLEURS
DE BEAUTÉ

DU MÊME AUTEUR *(Sélection)*

ROMANS

Lunes de fiel, Le Seuil, 1981. Adaptation au cinéma par Roman Polanski en 1992 : *Bitter Moon*.

Parias, Le Seuil, 1985.

Le Divin Enfant, Le Seuil, 1992.

ESSAIS

Le Nouveau Désordre amoureux (en collaboration avec Alain Finkielkraut), Le Seuil, 1977.

Le Sanglot de l'homme blanc, Tiers Monde, culpabilité et haine de soi, Le Seuil, 1983.

La Mélancolie démocratique : comment vivre sans ennemis ?, Le Seuil, 1990.

La Tentation de l'innocence, Grasset, 1995, Prix Médicis de l'essai.

DIVERS

Monsieur Tac, Le Sagittaire, 1976.

Le Palais des claques, Le Seuil, 1986.

Le Vertige de Babel, Arléa, 1994.

PASCAL BRUCKNER

LES VOLEURS DE BEAUTÉ

roman

BERNARD GRASSET

PARIS

Pour Anna,
en guise de bienvenue sur terre.

« Un soir, j'ai assis la Beauté sur mes
genoux. – Et je l'ai trouvée amère. – Et je
l'ai injuriée. »

ARTHUR RIMBAUD,
Une saison en enfer.

PROLOGUE

Je venais d'allumer le plafonnier et de constater, dans le miroir de courtoisie, l'apparition d'une ride au coin de mon œil gauche quand la voiture a dérapé. Hélène a écrasé le frein, contrebraqué. Les chaînes ne mordaient plus. J'ai poussé un cri, le véhicule s'est mis en travers de la route, s'est enlisé dans une congère. Il était 7 heures du soir, il faisait nuit, la neige tombait en abondance.

Nous revenions de vacances de ski en Suisse dans une station connue. Pourtant je hais la montagne, docteur, et le froid plus encore qui vous transperce, vous cisaille. Mais Hélène, soucieuse de mon éducation, avait tenu à m'initier à ce sport, à m'offrir la grandeur des Alpes. Les sommets déchiquetés, leur arrogance minérale m'avaient écrasé. Ces juges de pierre n'ont aucune indulgence ; leurs cimes sont toujours trop élevées, trop pointues. Toute la montagne n'est qu'une punition infligée aux hommes par la

11

nature pour les humilier. Huit jours durant j'avais supporté des températures polaires, on était fin janvier, et, harnaché à la façon d'un cosmonaute, je m'étais lancé sur des pistes verglacées dont le dénivelé me terrorisait. Le soir, je rentrais brisé à l'hôtel, les jambes broyées, les joues et le nez écarlates, les doigts paralysés par les engelures. Hélène au contraire jubilait ; elle s'enchantait de ce qui afflige la plupart ; les tempêtes, les brusques écarts du thermomètre, les murs vertigineux. Elle dormait à peine, se retrouvait sur les skis dès 9 heures du matin, descendait avec grâce, soulevant des gerbes de poussière blanche qui étincelaient au soleil et le soir elle voulait encore aller se trémousser dans les discothèques. L'altitude la mettait en liesse. Elle m'implorait : « Laisse-toi gagner par la majesté du site. Tu es en Suisse, la nation maternelle par excellence, le téton de l'Europe qui répand alentour miel, chocolat et torrents de lait. Fais ici des provisions de force et de santé. » Je n'avais pas essayé de la contredire. Mais au bout d'une semaine, saoulé d'air pur et de sublime et alors que même les clochettes des traîneaux m'insupportaient, je la suppliais de plier bagage et de redescendre vers les plaines plus hospitalières.

Hélène avait pris sa voiture. Je n'y avais pas vu d'objections, je ne conduis pas. C'était un beau jouet chromé un peu tape-à-l'œil, un mixte de fluidité et de puissance, une de ces machines allemandes, tout en cuir souple et ronce de noyer qui roulent moins qu'elles n'avalent le sol. Hélène y avait ajouté quelques accessoires et couché dans mon siège les yeux mi-clos, face au tableau de bord lumineux, j'y goûtais

12

le bien-être d'une cabine de paquebot. Le ronronnement du moteur me berçait. Ce jour-là, au lieu de rentrer directement sur Paris, nous avions musardé, malgré le temps exécrable, nous attardant à Lausanne devant les riches vitrines, visitant une chapelle, un musée. Hélène ne se résignait pas à quitter la Suisse qu'elle adorait, où elle avait, enfant, poursuivi des études. Le lac Léman était une grande flaque verte qui avait englouti les Alpes et seule une mouette, rasant les flots, faisait une tache de clarté. Au milieu de l'après-midi, saisie d'une soudaine lubie, Hélène avait quitté l'autoroute pour bifurquer vers les monts du Jura. Elle tenait à prendre ce chemin buissonnier, à prolonger l'esprit des vacances. Je l'avais laissée faire. C'était la coutume entre nous. Hélène s'occupait des détails matériels et du reste aussi. Nous étions bronzés comme le sont les skieurs, d'une couche de bien-être factice ou plutôt nous étions cuits, brûlés par le soleil avec des cercles blancs à la place des lunettes et des joues violacées. Nous revenions avec dans le coffre une valise pleine d'oxygène qu'Hélène s'apprêtait à respirer à petites doses à Paris.

Je me souviens de l'ardoise noire d'un étang sous un ciel plombé. Un rayon creva un instant la masse des nuages, jetant une touche de lumière nacrée et presque aussitôt la neige commença à tomber. Indifférente aux intempéries, Hélène roulait vite, la radio à tue-tête, des standards de Jimi Hendrix, de Curtis Mayfield, de John Lee Hooker et ce barouf m'assourdissait. Elle tapait en rythme sur le volant en reprenant le refrain. Hélène raffolait de deux choses : la

13

musique noire américaine et enregistrer les conversations à l'aide d'un dictaphone qu'elle branchait à l'impromptu. Se réécouter, capter les automatismes, les inepties émises durant un repas ou une réunion la faisait rire aux éclats. La voiture dévorait les obstacles, transformait la route en un tapis de caoutchouc. Rencogné dans ma banquette, la rétine lacérée par la neige, je m'assoupissais malgré le vacarme. Hélène baissa le volume et me pria d'être attentif à l'esprit des frontières, ces zones d'échanges et de tensions où une culture s'esquisse, où une autre s'estompe. Je lui rétorquai que sous cette averse blanche, rien ne distingue un pays d'un autre et que l'hiver n'a pas de patrie. A un poste à essence un pompiste frigorifié nous avait vendu des chaînes et conseillé de rebrousser chemin, par prudence. Hélène lui avait ri au nez, j'avais admiré sa bravoure. Les douanes suisse et française, un coquet bâtiment commun, aux volets de bois bleu, étaient fermées. La route grimpait, les virages s'enchaînaient, toujours plus raides. De grands sapins fantomatiques nous encadraient, tel un cordon de soldats aux manches poudrées. Je déteste ces arbres grégaires qui ne savent aller qu'en bande comme les loups. La neige rayait le paysage, tourbillonnait dans le faisceau des phares et bientôt les panneaux indicateurs furent recouverts. Des repères surgissaient dans la brume, le temps de nous rappeler qu'il y avait eu là des bornes, des flèches, des noms de villages. Il devint vite évident que nous étions perdus, que nous allions à l'aveuglette.

Malgré les blocs lumineux puissants, les phares

blancs ne perçaient pas le brouillard. Une mer laiteuse altérait les formes, émoussait les angles, voilait jusqu'au tracé de la route. Les essuie-glaces fatiguaient, grinçaient sans parvenir à dégager le pare-brise. Plusieurs fois, en dépit des chaînes, les roues avaient patiné. Hélène peinait à maintenir la direction, nous zigzaguions et je n'ose imaginer ce qui se fût passé si nous avions croisé une voiture. Je suggérai de faire demi-tour, Hélène me traita de poltron et ce qualificatif me rassura. Mais la majestueuse mécanique ahanait dans les côtes comme une vulgaire deux-chevaux. A bout de forces enfin, elle chassa, fit une embardée, s'immobilisa. Hélène tenta en vain de réembrayer, notre monture ne répondait plus. Nous étions bloqués. Elle sortit, se mit à danser sous la neige, en prit une brassée, la pétrit et me la lança (« Benjamin, nous allons passer la nuit ici en pleine tempête : c'est merveilleux »). Hélène sur qui soufflait encore le dynamisme des sommets était euphorique : elle appelait la tourmente pour la défier. J'examinai une seconde fois mes yeux à la lueur du plafonnier. Aucun doute, cette ride n'était pas là hier au soir, elle était née durant la journée. La vie avait gravé sur ma peau ce nouveau stigmate. Et maintenant la perspective d'une mauvaise nuit dans cette automobile m'épouvantait : il me fallait dormir à tout prix, effacer cette vilaine cicatrice. Des bourrasques de vent nous secouaient, la montagne se refermait autour de nous comme une camisole.

Hélène revint bientôt à la raison et me convainquit d'aller chercher du secours. Jimi Hendrix et ses euphorisantes cascades d'accords ne nous étaient plus d'une grande aide. J'étais bien chaussé de brodequins fourrés, vêtu d'un solide anorak. Je pris quelques biscuits et une lampe de poche qui éclairait à peine mes pieds. Hélène m'attendrait au chaud : le réservoir était plein, le moteur pourrait tourner encore pendant quelques heures. Je m'enfonçais dans la nuit, flagellé par le vent ; je m'en voulais d'avoir décliné l'offre d'Hélène qui proposait d'y aller à ma place et maudis l'absurde convention qui commande à l'homme de prendre les risques. Après tout c'était elle qui nous avait mis dans ce pétrin avec son entêtement d'enfant gâté avide d'imprévu. La neige n'était pas douce, elle coupait comme du verre : chaque flocon était un poignard qui m'écorchait, brûlait avant de fondre. Les ténèbres s'épaississaient, les arbres craquaient soumis à la torture. Je n'avais jamais affronté aucun péril sinon celui de vivre qui suffisait à m'effrayer. J'avançais péniblement, le souffle coupé, tapant mes moufles l'une contre l'autre pour me réchauffer. J'essayais de m'orienter en suivant la ligne noire des résineux qui longeaient la route. Ils me faisaient une haie d'honneur, ils évoquaient des grooms portant des paquets en silence : recueillir la neige était leur métier. Parfois une rafale agitait leurs branches, des amas de poudre blanche tombaient en vrac sur le sol. Je chantonnais pour me donner courage, ma voix parvenait à peine à mes oreilles. Le seul bruit perceptible était celui des cristaux s'ajoutant aux cristaux.

Au bout d'un certain temps, habitué à l'obscurité, je remarquai dans les sous-bois une espèce de voie carrossable sur ma droite et m'y engageai. J'enfonçais dans de profondes congères amoncelées au pied des arbres et après quelques minutes je suais, essoufflé. Je dus ainsi, trébuchant et tombant, marcher de longues minutes. Des rochers surgissaient entre deux trouées d'arbres, telles des pierres tombales durcies par le gel. Perdu dans cette nappe de blancheur, il me venait des idées terrifiantes : j'allais disparaître dans un ravin, attaqué par une bête sauvage. Quel imbécile avait osé soutenir que la planète se réchauffe ? La neige étouffait les pas, assourdissait le monde. Enfin je crus apercevoir au loin le minuscule éclair d'une lumière qui disparut aussitôt. Je courus, m'étalai deux ou trois fois de tout mon long. A mesure que j'approchais, je discernai les contours d'une ferme à demi enfouie dont seule une fenêtre au premier laissait filtrer une lueur. Je faisais des signaux pathétiques avec ma lampe de poche. Je grimpai une volée de marches manifestement balayées il y a peu et tambourinai sur la porte d'entrée.

— S'il vous plaît, y a-t-il quelqu'un ? Aidez-moi, je suis perdu !

Il n'y eut aucune réponse. Je reculai et continuai à crier à tue-tête. La seule lumière du premier étage que j'avais vue allumée était maintenant éteinte. La porte ne comportait ni cloche ni sonnette ni marteau. Je longeai la façade sombre de la maison, m'époumonai (« Aidez-moi, je suis tombé en panne avec ma femme sur la route, je vous en prie »). Mes phrases mouraient, à peine émises, étouffées par l'ouragan. Quelqu'un devait m'épier depuis l'intérieur du bâtiment et refusait de m'ouvrir. Je palpai les murs à la façon d'une araignée, essayant de repérer l'emplacement des pièces, humant l'air pour sentir une présence humaine. Je me hissai sur la pointe des pieds devant chaque fenêtre mais les volets tirés m'empêchaient de discerner quoi que ce soit. Je me fis alors persuasif et, les mains en cornet autour de ma bouche, racontai à haute voix ma mésaventure. Je n'omettais aucun détail, déclinant mon identité, mon âge ainsi que celui d'Hélène; je donnai même la marque de la voiture ainsi que le numéro de la plaque d'immatriculation. Je voulais absolument leur prouver qu'ils n'avaient rien à craindre. Étrange sentiment que de parler en pleine nuit à une maison silencieuse.

Effrayé par mon propre soliloque, je renonçai, non sans maudire l'égoïsme du propriétaire qui m'avait vu et se terrait. J'étais gelé, abattu. Je retrouvai avec peine la grand-route, me guidant sur mes propres traces qui n'avaient pas encore été comblées. Je pressais le pas, effrayé d'avoir laissé Hélène si longtemps seule. Et toujours ces affreux sapins avec leur fourrure blanche, serrés les uns contre les autres comme s'ils gardaient un secret. Mes jambes ne me portaient plus, les courbatures du ski me revenaient, m'élançaient. J'allais user le peu de santé qui me restait dans cet épisode. Rien ne fatigue plus que des vacances, vous l'avez peut-être remarqué? Les flocons se jetaient sur moi comme autant d'insectes furieux, tissant un filet aux mailles serrées entre lesquelles j'arrivais à peine à respirer. Enfin je retrouvai l'auto encapuchonnée dont les deux phares trouaient péniblement la nuit. Dès qu'elle m'aperçut, Hélène fit sonner l'avertisseur : avec mes cheveux et mes cils blanchis, je ressemblais à un explorateur perdu sur la banquise. Elle était morte d'inquiétude. s'en voulait

18

de m'avoir laissé partir seul et mon récit la désola. Il y avait plus grave : le moteur faiblissait sous l'action du froid, dans une heure il se gripperait. La température tombait à vive allure. Nous allions disparaître sous un linceul glacé. Il faudrait attendre l'arrivée d'un engin de déneigement, nous contenter de quelques fruits et biscuits. Hélène s'excusa pour cet embarras et me promit un cadeau pour se faire pardonner : est-ce que huit jours aux Bahamas me plairaient ? Noyés dans une sorte d'ouate qui tourbillonnait en rafales, nous nous apprêtions à aménager notre domicile pour la nuit. La solidité de notre machine était la seule chose qui me réconfortait. Hélène avait abaissé les sièges, confectionné deux oreillers avec des sacs. Elle m'avait déjà emmitouflé dans des couvertures et s'apprêtait à faire une distribution de petits gâteaux quand un inconnu surgit dans la lumière des phares déclinants. J'avais à peine enregistré sa présence qu'un visage se colla sur la vitre du conducteur, faisant fondre la neige qui s'était accumulée. Hélène hurla, lâcha les gâteaux. Deux yeux nous observaient, une joue collée contre le verre formait un bourrelet de chair blême. Les yeux allaient d'Hélène à moi, nous détaillaient avec avidité. Un son sortit de cette affreuse figure.

— Pardonnez-moi de vous avoir fait peur. J'occupe le chalet où vous êtes allé tout à l'heure.

Notre visiteur devait élever la voix, il nous fit signe avec la main de baisser la fenêtre pour se faire entendre. Hélène entrouvrit à peine la vitre sans déverrouiller les portières.

— Comprenez-moi : nous nous méfions des rôdeurs. J'ai voulu prendre mes précautions.

19

Tout cela fut dit sur un ton bourru, presque agressif. Hélène, à demi rassurée, baissa d'un cran la fenêtre.

— Vous voulez dire que vous avez suivi mon mari jusqu'ici ?

(Par convention Hélène et moi en voyage nous appelions mari et femme bien que nous ne soyons pas mariés.) Il était difficile de distinguer les traits de celui qui nous parlait. Un passe-montagne lui dévorait la moitié de la face et je voyais surtout deux grosses lèvres et des poils de barbe où s'accrochaient des lambeaux de neige. Poli et froid, il répondait par monosyllabes : il était garé quelques mètres plus haut, après le tournant, il m'avait filé en silence au volant d'une Range Rover conduite tous feux éteints. Il nous offrait ou plutôt son patron nous offrait l'hospitalité, lui n'était que l'homme de peine. Nous n'hésitâmes pas longtemps : la soirée promettait d'être longue, j'étais transi jusqu'aux os, le vent hurlait autour de la voiture. Nous descendîmes. Notre sauveteur était vraiment petit, presque un nain et sa taille contribua à nous mettre en confiance. Sa conduite semblait peut-être bizarre ; au moins il nous tirait d'un mauvais pas. Il nous aida à prendre quelques bagages, à pousser le coupé sur le bas-côté pour éviter qu'un autre véhicule ne l'emboutisse. Le rustre était costaud. D'un air renfrogné, il nous commanda de monter à bord de son quatre-quatre, se mit au volant trop large pour lui. Nous étions des naufragés en plein blizzard, accompagnés d'un étrange oiseau de nuit qui avait à peine l'usage de la parole. Notre revêche bienfaiteur roula jusqu'à la ferme sans dire mot comme si secourir les gens était chez lui une habitude. Son laconisme me sidérait. « On dirait Grincheux », me souffla Hélène, blottie contre moi. Nous étions soulagés d'échapper au chaos. Une fois encore la chance nous souriait. Et nous rêvions tous deux d'un bon feu, d'un dîner chaud, d'un lit moelleux.

La récompense du tricheur

C'était au crépuscule d'une belle journée d'été. Paris était presque désert à l'occasion d'un pont du 15 août qui allait durer trois jours. La canicule jetait les rares piétons dans les parcs, les fontaines, sous les ombrages. Je revenais de la gare de Lyon où j'avais accompagné Ferdinand qui se rendait à Antibes. Je devais l'y rejoindre en voiture la semaine suivante. Je roulais lentement, fenêtres ouvertes, respirant avec délices les chauds effluves, m'enivrant au spectacle des arbres dont les feuilles jaunissaient déjà. Les trottoirs étaient brûlants, l'asphalte fondait et collait aux pieds, la ville rôtissait, exhalant des moiteurs tropicales qui la rendaient exotique. Paris était pour moi un réservoir de splendeur et d'énergie où j'éprouvais une surabondance d'émotions. Mais dans cette capitale, j'avais élu un être entre tous, un être volage et menteur que je laissais seul quelque temps et qui allait me tromper. A cette idée une pince me broya les entrailles et j'eus le souffle coupé. Je m'agrippai au volant, me garai en double file pour respirer.

Klaxons et insultes se déchaînèrent derrière moi. J'étais trempée de sueur, une crampe raidit ma jambe gauche. J'avais la certitude qu'il profitait de la moindre liberté pour aborder des inconnues et les séduire. Pas une fois il n'avait proposé de rester à mes côtés, de reculer son départ. Je me garai sur le parking du parvis de Notre-Dame et me retrouvai aux urgences de l'Hôtel-Dieu.

Instantanément me revint la terreur de l'hôpital. Ni l'entrée spectaculaire ni l'élégance de la cour avec son jardin à la française n'effaçaient l'omniprésence de la maladie. Ce monument aux allures de caserne et de couvent avait un je-ne-sais-quoi d'austère qui me glaçait. A côté de Notre-Dame la glorieuse, l'Hôtel-Dieu est la cathédrale de la débine qui attire à elle, comme un aimant, tous les réprouvés. Il fallait pour affronter ce périmètre de la disgrâce un tonus que je n'avais pas. J'anticipais avec effroi les murs qui suintent la douleur, les lits où gémissent les patients, l'attirail hideux des chirurgiens, les scies, les pinces, les scalpels, toute cette coutellerie d'égorgeurs. La mort rôdait là, d'autant plus narquoise qu'on voulait l'évacuer, se riant des technologies de pointe, venant cueillir chacun à l'heure dite.

Pour vous expliquer ma fragilité durant cette période, représentez-vous ceci : je n'étais pas seulement sans Ferdinand, j'errais dans une ville abandonnée avec ses cohortes d'étrangers hébétés, ses paumés toqués par la chaleur, ses clochards qui cuisaient au soleil alors que la France entière faisait la fête. J'allais être seule avec la grande armée des sinistrés qui demandait audience, assaillie par des théories de

26

mélancoliques et de délirants. Travailler quand d'autres s'amusent et partir quand la plupart travaillent, c'est à ce genre de contrastes que j'avais rattaché ma décision de rester ici pour l'Assomption. Je m'étais vantée auprès de mes proches de goûter aux joies du contretemps. En vérité j'eusse tout donné pour être là-bas sur les plages avec les autres. Je m'étais portée volontaire pour cette garde du 15 août par manque d'argent. Interne en médecine, je commençais à 26 ans une spécialisation en psychiatrie. De plus la période des vacances m'angoisse : cette rupture dans le cours normal des jours vide le temps de sa substance, le transforme en déchet. D'avance, je redoutais cette parenthèse de trois nuits blanches. Quand la ville est pleine, les autres vous garantissent au moins l'existence. Mais là, aucun de mes amis n'était présent et ma famille vivait à l'étranger. J'allais subir le couvre-feu des week-ends d'été.

Le seul agrément des urgences, c'est de constituer une petite nation autonome dans le grand royaume de l'hôpital. On y est son propre maître, il faut y rendre des comptes mais de façon indirecte. Au moins allais-je éviter les grands blessés, les corps déchiquetés, le pus et le sang. Mon domaine à moi, c'était la fragilité psychique, terrible peut-être mais propre, lisse comme un cerveau dans sa boîte. Des hommes et des femmes allaient déverser dans mon oreille leurs petites misères et je ferais semblant de m'y intéresser. Toutefois cette consolation était trompeuse : pour être moins spectaculaire, la maladie mentale n'en est que plus redoutable et je me tenais face à elle comme un promeneur au-dessus d'un précipice. De fait je ne sentais aucune attirance pour la discipline médicale : il m'avait fallu sept ans d'études pour comprendre que cette voie n'était pas la mienne, qu'aucune voie ne m'intéressait plus qu'une autre. Qu'avais-je voulu expier en embrassant cette carrière ? Ma vie allait se dérouler sans surprises comme un infaillible programme et je la haïssais d'avance non d'être mortelle mais d'être prévisible. Je serrais dans mon sac un volume des poésies de Louise Labé et des cassettes de Bach qui ne me quittaient jamais. Dans le centre où je travaillais, on m'appelait « Walkman », je marchais les écouteurs vissés en permanence dans les oreilles. Écouter Jean-Sébastien Bach dans une clinique ou un dispensaire, c'est interposer entre le monde et soi un bouclier de merveilles, considérer l'Enfer du haut du Paradis. Je mettais la musique et quelque chose de divin m'empoignait. Qui a dit de Bach qu'il est la seule preuve sérieuse de l'existence de Dieu ?

On me présenta les diverses personnes avec qui je partagerais la garde, un cardiologue aux joues roses et rondes de garçonnet, une anesthésiste rousse trop maquillée, un ophtalmologue long et efflanqué, un chirurgien déjà chauve sans oublier l'aumônier à tête de puceau qui avait toujours l'air de s'excuser d'exister. Je n'avais guère envie de frayer avec eux. Je n'aimais pas le bloc compact des internes et des soignants cimenté par ses rivalités et ses privilèges face au peuple des mal-portants. On ne devient pas médecin pour soulager les autres mais pour les persécuter en toute légalité, les punir d'être diminués. L'ambiance des salles de garde, la lubricité de certains docteurs attisée par la proximité de la mort me révul-

saient. Je ne voulais rien savoir des confidences gri-
voises des infirmières, retour de vacances, ni des stupides intrigues qui se nouaient ici à la faveur de la
nuit. Tous je les méprisais d'avance, redoutant qu'ils
ne me jugent incompétente. Le mépris : la crainte
d'être inférieure aux autres et donc l'anticipation de
leur jugement retourné contre eux. J'allais durant
trois nuits faire l'expérience d'un constant décalage :
celui de l'indignité de mes tracas face à l'infortune des
autres. J'étais si engluée dans mes problèmes que je
ne pouvais rien entendre. Je voulais réduire mes
contacts humains au strict minimum, qu'on me fiche
la paix et que mon séjour ici soit un havre de tranquil-
lité au milieu du dérèglement général.

Tout était exceptionnel ce soir-là : la désorganisation du service due à de nombreuses absences, les travaux de restauration qui m'obligeaient à prendre une
chambre ailleurs qu'à l'étage affecté aux internes et
jusqu'à ma présence puisqu'aux termes du règlement,
je n'étais pas assez diplômée pour assurer une garde.
Je commençais juste une thèse en psychiatrie. J'étais
un accident administratif. On m'avait alloué dans une
autre aile du bâtiment, au quatrième étage, une petite
pièce, une boîte à sommeil qui comprenait un lit, un
cabinet de toilette, un miroir, un placard fermé par
cadenas et un vieux fauteuil défoncé. Un œil minuscule donnait sur les tours de Notre-Dame. Sur la cor-
niche qui surplombait ma chambrette, des colombes
s'ébouriffaient en roucoulant. Je me changeais devant
la glace en observant mes larges épaules que Ferdinand aimait à mordre, mes jambes musclées, mes
petits seins qui ne gonflent pas, même pendant les

29

règles, ma peau brune aux teints plus ou moins foncés et mon ventre plat qui ne donnerait jamais la vie puisque j'avais été déclarée stérile, inapte à la fécondation.

Née du mariage d'un père marocain de Rabat et d'une mère wallonne de Liège, je suis, comme le dit Ferdinand, un alliage de terre cuite, une plante qui puise aux deux rives de la Méditerranée. Je ne manque pas d'attraits, paraît-il, mais à quoi rime un charme qui ne prémunit pas du malheur ordinaire ? Dans la glace, les autres me jugent et je ne sais jamais si je suis reçue ou recalée. Tout cela allait plus tard s'altérer, malgré les soins, la gymnastique, le régime strict, le cuir de la peau se distendre, les muscles s'affaisser. Des creux, des décharnements sculpteraient sur mon anatomie d'autres géographies, d'autres paysages. Certains jours, mon corps me fatiguait, il était lourd à porter, corruptible. Le nettoyer, le nourrir, l'entretenir était au-dessus de mes forces. Certains jours le regard des hommes m'épuisait, me volait à moi-même. J'en avais assez de l'exigence de perfection que commandait Ferdinand : pour lui je ne suis jamais assez éclatante, pour mes collègues de travail, je le suis trop. Il me renvoie à des canons inaccessibles, eux fustigent ma frivolité. S'il pouvait m'aimer suffisamment pour ne pas vouloir que je sois belle, seulement belle ! Je réclame le droit d'être jolie à temps partiel, d'avoir des moments de prose, de banalité. J'ai tant d'amies qui vivent en enfer pour quelques grammes de trop. En fait je rêve depuis l'enfance d'être une grand-mère, de sauter l'étape de l'âge adulte. Je voudrais voir ma vie depuis la fin, connaître le résultat de mes actes avant de les accomplir. Je désire être vieille pour ne plus avoir à faire des choix.

La soirée fut longue, monotone, fertile en fausses alertes et tentatives de suicide. J'étais sur le pont, je devais affronter la tempête. Dans le même pavillon se trouvaient les urgences médico-judiciaires, également de mon ressort; elles accueillaient des petits voleurs, des illégaux, maghrébins ou africains pour la plupart, et ce ballet de prévenus et de gardiens donnait à l'endroit une tonalité carcérale. Je saisis alors pourquoi je n'aimais pas l'île de la Cité : la juxtaposition sur ce petit bras de terre de Notre-Dame, de l'Hôtel-Dieu et de la Préfecture de police, c'est l'alliance de la soutane, du carabin et de la matraque, lugubre trio que l'insouciance des touristes n'atténue pas. Je guettais avec anxiété l'entrée de figures inconnues, je redoutais surtout les adolescents agressifs qui crachent les mots à la façon de projectiles, qui ne marchent pas mais chaloupent et semblent sortis tout droit d'un clip de rap. J'étais terrifiée d'avoir à faire un diagnostic à chaud sur un nombre de symptômes limités au risque de surestimer un petit malaise ou de minimiser un cas grave. Malgré l'autorité factice que confère la blouse blanche, je manquais d'ascendant, j'étais cassante ou malléable, jamais je ne trouvais le ton juste. Le protocole voulait que j'entende les patients, procède à un bref examen et décide ensuite de les garder ou de les diriger vers d'autres centres hospitaliers, relevant de leur secteur. Nous n'étions qu'un bureau de tri et de distribution. Il me fallait tout noter dans un cahier : je devais avoir l'acuité d'un praticien chevronné et la sécheresse d'un rapport de police. Je puisais à foison dans l'armoire à pharmacie, dispensant les petites gélules colorées comme des bonbons pour calmer l'angoisse. La majorité des malades étaient moins dérangés que fragiles et venaient demander le réconfort d'une écoute, d'un tranquillisant. Au début de ma spécialisation, je m'en souviens, je prenais tellement à cœur ce qu'ils me racontaient que je pleurais au récit de leur détresse. Quelques-uns s'avilissaient à plaisir; mais la majorité débarquait à l'Hôtel-Dieu pour être débarrassés d'eux-mêmes, pris en charge tels ces détenus qui rechutent dès la sortie parce que la liberté les terrorise. Je percevais parfois une hostilité tangible, une discrète sommation. Certains dégainaient leur portable à tout moment et il fallait leur intimer de les ranger. D'autres m'attendrissaient: un clochard nommé Antoine, fils de hobereaux de province ruinés, se plaignit à moi de n'aimer ni le vin ni la bière, ayant été élevé au thé et aux petits gâteaux. Trop sale pour les gens huppés, trop maniéré pour la rue, il se sentait rejeté par les autres mendiants.

Je sortais de ces entretiens vacillante, ivre, comme si d'avoir côtoyé la fragilité mentale brouillait mes frontières. Je ne venais pas guérir la déraison mais constater la vulnérabilité de ma propre raison. Quand le délabrement devient la règle, c'est la santé qui, par un tour étrange, paraît une anomalie. Toutes les heures à peu près, le personnel soignant se retrouvait en salle commune pour souffler. Échoués au bord des tables, exténués, pareils à ces matelots qui viennent écluser un godet avant d'affronter à nouveau l'oura-

gan, nous échangions des banalités. Les verres tremblaient chaque fois qu'un métro passait en grondant.
J'examinais d'un œil critique mes compagnons de nuit
internes et externes hâves et pâles, déjà déplumés ou
lestés de mauvaise graisse et je priais : Dieu, faites
que je ne devienne jamais comme eux. Je savais ce
qu'ils pensaient de moi : que j'avais été reçue dans les
derniers au concours de l'internat, que j'avais obtenu
mon diplôme de justesse. Ils avaient raison : je déteste
la médecine.

Il devait être aux alentours de minuit : nous suffo-
quions. Je raccompagnais à l'entrée un vieux monsieur qui m'avait consultée pour état dépressif. J'aime
les vieillards, ils se désincarnent, se détachent du
monde avec dignité. Ce sont de pures flammes où
l'esprit a terrassé la chair et les sens. Je revois très
bien la scène : dans la salle d'attente se trouvait une
dame d'un certain âge qui s'était ouvert le genou en
tombant, une belle de nuit au nez cassé et qui tirait
sur sa jupe trop courte, deux transfuges russes qui ne
savaient plus où ils étaient et un jeune homme qui
consultait pour douleurs d'estomac. Et tout au bout,
menotté, un pauvre hère, gardé par un planton. Il
avait cette particularité d'être masqué et de gémir
qu'il mourrait sur-le-champ si l'on tentait de voir son
visage. Il portait une de ces protections comme en ont
les cyclistes dans nos villes pour se garder des vapeurs
d'essence. Un bonnet de laine troué, enfoncé sur sa
tête, ne laissait de libre que ses yeux. Sans réfléchir,
un instant et peut-être parce qu'on choisit ses patients
comme les êtres aimés, sur leur simple mine, j'allai
vers le policier de garde et, avec une autorité qui

m'étonna, lui dis : « Celui-là est pour moi. » L'agent me considéra avec soulagement :

— Je vous préviens, il n'a aucun papier et ne se souvient plus de son nom.

— Parfait, troubles de l'identité, syndromes amnésiques, je le prends.

Il y aurait peut-être eu, malgré mon assurance, contestation, si au même instant une camionnette du Samu n'avait déversé un grand gaillard noir blessé par balles au Châtelet qui sollicita tout de suite l'attention de l'autorité. On voit toutes sortes d'originaux dans les hôpitaux. Beaucoup sont pathétiques ou effrayants : le mien était insolite. Avec sa coque sur la bouche, on eût dit un de ces émeutiers japonais ou coréens qui se couvrent la face pour affronter la police. Croisement d'un personnage de science-fiction et d'un gueux médiéval, il tranchait sur le lot habituel des paumés, des grands puants qui se laissent mourir dans leur vermine. Pieds nus dans ses mocassins, vêtu d'un pantalon constellé de taches et d'une chemise déchirée, il laissait entrevoir une peau rougie par le soleil, un torse malingre où saillaient les os. La brigade de ramassage l'avait trouvé sur un banc d'un quai de l'île Saint-Louis au milieu de la faune des clochards et des amants clandestins. Il s'était débattu avant d'être emmené et seuls ses cris de terreur avaient dissuadé les agents de lui arracher son masque. Je me présentai à lui (« Docteur Mathilde Ayachi »), le fis détacher, lui jurai que nous respecterions ses volontés et que pour l'heure nous allions le nettoyer, l'ausculter, le mettre en observation pour la nuit. Je pris rapidement son pouls. sa tension. Il leva vers moi des yeux morts, vides qui me parurent deux trous brûlés par des cigarettes. J'ignorais comment j'allais demain justifier cette hospitalisation auprès de mes collègues. Pour l'heure le service de psychiatrie étant complet, je le fis enregistrer en médecine générale, après accord de la surveillante. Une jolie blonde toute bronzée, aux mains couvertes de bagues et de bracelets tenait le secrétariat : derrière son guichet, avec son sourire éclatant, elle évoquait une allégorie du luxe, le rappel d'un autre monde plus fort que celui de l'indigence et de l'affliction. Elle était une reine de lumière trônant au-dessus d'un peuple de damnés, une petite idole étincelante de grâce dans ce décor glacé. Et moi qui avais honte de ma mauvaise volonté quand chacun ici se dévouait corps et âme, je puisais dans le visage de cette jeune femme des raisons de bien faire mon travail. Mais quand elle vit mon client, elle murmura : « Tu as du gibier faisandé ce soir » et cette remarque me blessa.

L'homme sans un mot d'approbation ou de refus se laissa emmener jusqu'à sa chambre. Une heure après – on l'avait examiné, lavé, changé – je l'interrogeais dans un box, la porte fermée. Il resta prostré, le menton incliné sur la poitrine. Je lui demandai plusieurs fois pourquoi il couvrait sa figure, s'il cachait une brûlure, une infirmité. Je ne pus rien en tirer.

— Monsieur, j'ignore les raisons qui vous poussent au silence. Si vous désirez me parler, avertissez une infirmière qui me préviendra. Je suis disponible toute la nuit jusqu'à 8 heures du matin.

Il hocha vaguement la tête et je m'en voulus de mon amabilité. Quelque chose de pitoyable se dégageait de ce travestissement : un masque inquiète en ce qu'il impose une seule expression à une physionomie toujours changeante. Je ne comprenais plus l'impulsion qui m'avait prise de m'intéresser à ce guignol. Je lui inventai toute une nosographie dans le dossier que je rédigeais à l'intention de l'équipe de jour, espérant que nul interne tatillon ne me sommerait de m'expliquer.

Épuisée et comme renvoyée par cet échec à mon aversion pour ce métier, j'allai boire un café chaud près du bassin du jardin. Un moineau insomniaque se désaltérait, piquant du bec le jet de la fontaine. C'était le seul endroit calme dans cet îlot de pénitence. La nuit était chaude comme si nous mijotions sous une serre, de minces souffles de vent se frayaient une voie dans cette étuve. Tout autour l'hôpital étendait ses immenses ailes noires, entre protection et punition. Derrière ses murs se trouvaient Paris et la liberté. C'était vendredi soir, j'entendais dans les voitures les basses gronder. La musique vibrait, les jeunes mâles étaient en chasse, les jeunes femelles aussi. J'aurais donné n'importe quoi pour être avec eux. De nouveau je sentais l'épouvante me liquéfier, elle ne me quitterait pas durant trois jours. On m'avait dit : les fous ne crient plus depuis qu'on les met sous camisole chimique. Mais je me souvenais de mes premiers stages à l'hôpital de M., du parc peuplé d'hommes et de femmes qui forniquaient dans les buissons, sur les bancs, et de l'horreur qui m'avait saisie devant ce cocktail : Éros chevauchant la démence. Je revoyais cet autiste à S. qui s'était rongé les doigts, ces zombies écrasés de neuroleptiques et qui se jetaient, tête la première, sur le sol pour en finir. *Et je repensais à cette phrase de Chesterton que m'avait citée jadis un professeur de philosophie : « Le fou est celui qui a tout perdu sauf la raison. »*

Peu après, profitant d'une accalmie, je me retirai dans ma chambre. Je m'assoupis quelques instants tout habillée. Je fis un rêve étrange : devant moi sur un matelas jeté au bord d'une piscine, Ferdinand faisait l'amour avec une inconnue à la peau très pâle, aux jambes gainées de longs bas noirs et chaussée de talons aiguilles. Il lui murmurait à l'oreille les mêmes phrases crapuleuses qu'il me serine depuis des mois. L'inconnue criait son nom, se tortillait sous lui sans que je parvienne à discerner ses traits. Une bouffée de chaleur me poignait entre les cuisses. J'éprouvais un tel plaisir à regarder mon amant besogner cette grue que j'en eus un orgasme qui me réveilla ; mais un orgasme de haine, un spasme qui portait en lui la volonté d'annuler Ferdinand. Je me dressai en sueur sur le lit, empoissée par la chaleur, le cœur battant à tout rompre. J'étais trempée, mon ventre débordait comme un calice d'humeurs et de saveurs et Ferdinand n'était même pas là pour les recueillir. Il ne lui suffisait pas d'empoisonner mon esprit, il devait en outre trôner dans mon sommeil, collaborer à mon dégoût de moi-même.

Je me levai pour boire un verre d'eau, enlevai ma blouse et ma jupe. Il était 3 heures du matin, la lune pleine aux trois quarts dépliait les ombres sur la cathédrale. La pièce restait sombre. J'avais ouvert en grand l'œilleton, espérant une bouffée d'air frais. J'étais mal à l'aise, je subissais la pression de l'édifice tout entier et sa carapace de pierres se refermait sur moi. Même ici, loin des urgences, il me semblait que les paroles de tristesse, d'égarement se coagulaient comme de la morve sur les murs et dégradaient l'atmosphère. Les rues étaient presque vides ; du haut de mon perchoir, j'entendais de petits groupes de jeunes qui chantaient, riaient. Si peu les séparait de moi : quelques années d'études qui m'avaient fait basculer dans l'univers du souci et de l'anxiété. Paris dormait à l'ombre de Notre-Dame, figée dans sa froideur de monument officiel. Je sentais la ville comme un énorme cerveau dont les millions de cellules irradiaient jour et nuit, avec leurs flux et leurs reflux, leurs périodes de calme et d'emballement. Mais je ne participais plus de cet esprit palpitant, je n'étais qu'une femme jalouse, deux fois stupide parce que la jalousie est le mal le plus douloureux et le plus ordinaire qui soit. Je m'en voulais de cette banalité qui me ravalait au rang de tous.

Je me lavais les dents, le tube de néon bourdonnait quand je crus percevoir une présence devant ma porte. Quelqu'un stationnait dans le couloir, un passage sombre d'un jaune pisseux. Je tressaillis, cherchai instinctivement ma blouse. Je ne l'avais pas enfilée que la porte s'entrouvrait. J'avais omis de la fermer. Une silhouette se découpa sur la pénombre du corridor. Je n'eus pas le temps d'avoir peur, je le reconnus tout de suite. Il poussait la porte si lentement que je crus rêver en voyant le battant osciller sur ses gonds. Il se tenait là, les bras ballants, spectre risible, avec son espèce de cagoule au-dessus du pyjama blanc que l'Assistance publique lui avait prêté. Je me couvris et marchai sur lui.

— *Comment osez-vous venir ici ?*

— ...

— *Que me voulez-vous ?*

— ...

Son silence me pesait.

— *Si vous ne répondez pas, j'allume et j'appelle.*

— *Non !*

Il avait lancé ce « non » d'un ton presque menaçant. Je tentai de ma main droite de repérer mon bip sur le lit sans perdre l'intrus des yeux.

— *Je vais crier, un infirmier viendra et vous fera passer l'envie de trotter la nuit dans l'hôpital.*

Il tendit vers moi un bras dans un geste de supplication.

— *Je vais tout vous expliquer...*

— *Comment avez-vous su où est ma chambre et sortir sans être vu ?*

— *J'ai enlevé mon masque et mon bonnet tout simplement. Personne ne connaît mon visage ; c'est en allant découvert que je deviens invisible. L'infirmière de garde était sortie sur la terrasse fumer une cigarette. Je me suis faufilé derrière elle.*

Il fut secoué d'un petit rire asthmatique. Il avait une voix désaccordée.

— *Je vous ai cherchée partout dans l'hôpital. Je vous ai reconnue assise dans le jardin. Je vous ai suivie jusqu'ici, j'ai fait les cent pas dans le couloir, j'ai même gratté à votre porte. Comme vous ne répondiez pas, je l'ai ouverte.*

C'est maintenant seulement qu'une sueur glacée m'inondait. J'étais stupéfaite qu'un malade puisse ainsi vagabonder en déjouant les systèmes de surveillance.

39

— *Pourquoi n'avoir pas sonné selon les procédures habituelles ?*

— *Personne ne doit savoir que je vous ai parlé.*

J'essayais de reprendre le contrôle de moi-même, de ralentir mes battements de cœur qui me remontait dans la gorge tel un caillou.

— *Je veux... je veux me libérer d'un secret...*

— *Un secret capital, sans doute et qui ne peut attendre demain ?*

Je regrettais mon agressivité qui trahissait ma frayeur.

— *Et si je refuse ?*

— *Vous êtes de garde, non ?*

Il avait haussé le ton.

— *On vous paye pour écouter les gens ?*

Je souris de cette réclamation quasi syndicale. Aussitôt et comme apeuré par sa propre violence, mon visiteur se radoucit.

— *Vous m'avez racolé aux urgences. Je ne vous intéresse plus maintenant ?*

Sa voix m'écorchait les tympans, ce pathos me fatiguait.

— *Vous m'avez accepté sans me connaître. Je vous choisis à mon tour. Je vous choisis parce que je perçois en vous une femme blessée.*

Je n'aimais pas du tout ce langage, je déteste que les malades renversent les rôles.

— *Vous êtes ravissante mais arrogante. Les hommes se troublent à votre approche. Pourtant, derrière votre morgue, il y a une faille.*

Je m'assis sur le lit, découragée. J'étais usée à l'avance par cet entretien, j'allais en reprendre pour

des heures. Je me répétais : « Ne t'investis pas, prête-
toi seulement, dans trois jours tu seras partie. »
— J'ai raison, n'est-ce pas ?

Le petit jacasseur s'était penché sur moi, nous nous
touchions presque. Un instant je crus qu'il allait me
dire :
— Vous prenez la place d'une autre plus qualifiée.

Il avait cette clairvoyance des faibles qui ont le don
de détecter votre propre faiblesse. Je murmurai :
— Je ne sais de quoi vous parlez, mon cas importe
peu.

Le trouble me rendait aphone.
— Voulez-vous que nous allions dans un bureau ?
— Surtout pas, on pourrait nous voir. S'il vous
plaît, restons ici !

Une psychiatre est soumise au double devoir de
réserve et de distance, elle ne doit ni frayer avec ses
patients ni prendre leur récit au pied de la lettre. Or
je faisais l'inverse, je contrevenais à tous les codes.
Personne ne me prêterait main-forte si ce clown tentait quoi que ce soit. Mentalement, j'évaluais sa
force : c'était un gringalet à peine de ma taille, je
pourrais le renverser d'une simple poussée. Toutefois,
pourquoi le cacher ? Cette intrusion nocturne m'intri-
guait. Si celui-là était dérangé, au moins ne l'était-il
pas comme les autres. Un être qui prend de tels
risques pour parler doit avoir de vrais motifs. De
toutes les façons je n'arriverais plus à dormir maintenant.
— Vous n'auriez pas quelque chose à boire ? je suis
déshydraté.

Je lui emplis un gobelet de plastique au robinet,

rêvant d'y diluer une bonne dose de neuroleptiques pour l'assommer. Il se tourna pour avaler l'eau en soulevant son couvre-bouche. Il gratta le tissu de son masque comme s'il s'agissait de sa peau et le bout de son ongle sur la coque fit un bruit d'écorce. Je me rendis compte à quel point il sentait fort, une odeur âcre, amère : il avait aussi peur que moi. J'eus une envie perverse d'en profiter. Je le saisis par le bras, il avait des os mous, minuscules. Je dus me retenir pour ne pas le frapper, hurler : « Foutez le camp, allez débiter vos sornettes ailleurs. » Certains êtres parce qu'ils sont fragiles appellent les coups. Celui-là avec sa silhouette vieillotte, chiffonnée m'indisposait. Je devais être ridicule, à demi dépoitraillée, en train de secouer cet ectoplasme en pyjama. Il prit une intonation soumise, plaintive :

— Je vous en prie, écoutez-moi, vous seule pouvez me comprendre !

Oh la petite teigne ; je crus même un instant qu'il pleurnichait. Je le jetai sur le fauteuil où il s'écrasa, hors d'haleine, étonné par ma brutalité. J'étais vaincue. Je refermai la porte, m'installai sur le lit. La pièce était petite. C'est le propre des espaces réduits que de discipliner les corps et de contraindre à l'attention : on ne peut y échapper aux autres. Je voulus allumer, il m'en dissuada. Il commença donc son récit. Le masque étouffait sa voix, il devait la forcer, grimper sur elle comme sur des béquilles pour être entendu. Son accoutrement me mettait mal à l'aise. Lui seul me voyait, il n'y avait aucune porte par où entrer dans cet homme. Et j'ignorais toujours son nom et son identité. De temps en temps, il me prenait la main et mal-

*gré ma répugnance la serrait. Ce n'était pas intimida-
tion mais solidarité de qui traverse avec vous une
épreuve et sollicite du réconfort. Nous nous embar-
quions dans l'histoire de sa vie et cette pression était
le cordial qu'il m'offrait pour la traversée. Après la
panne de voiture en pleine montagne et le sauvetage
qui s'ensuivit, il continua ainsi :*

UN CHAROGNARD PRUDENT

Nous approchions du chalet, serrés à l'avant du
quatre-quatre, admirant la dextérité de notre chauffeur qui progressait dans la bourrasque avec un sens
infaillible de la direction. Je me demandais quel
étrange personnage allait nous recevoir chez lui après
avoir manifesté tant de méfiance. Ni Hélène ni moi ne
comprenions ce qui nous arrivait. Mais avant de poursuivre, laissez-moi vous dire comment j'ai rencontré
ma compagne.

Je m'appelle donc Benjamin, Benjamin Tholon, un
prénom ironique quand on sait à quel point je suis
délabré. Hanté depuis toujours par la désintégration,
je suis né vieux, épuisé comme si j'appartenais à une
race finie. J'ai 38 ans aujourd'hui, j'en parais 50.
J'abrite en moi un cadavre qui me ronge et grandit à
mes dépens. J'aurais aimé, dès l'adolescence, acheter
des tranches de temps à un marchand pour freiner
l'usure. Le gris s'est déposé sur ma face au berceau et
ne m'a pas quitté depuis.

Petit provincial du centre de la France, cadet d'une famille modeste, j'ai vécu une enfance d'un ennui fétide. A 16 ans j'émigrais à Paris, bien décidé à rompre avec mon milieu. J'arrivai un jour de septembre, ébloui par l'élégance de ses habitants, la prospérité de ses immeubles, humant richesse et liberté à chaque carrefour. Je me jurai alors de ne plus remettre les pieds dans ce bourg de T. – mon père y était employé au cadastre – où j'avais perdu ma jeunesse aux côtés d'êtres médiocres. Je maudissais la mesquinerie de mes géniteurs dont l'unique ambition était de monter d'un cran, à chaque génération, les barreaux de l'échelle sociale. Seul à Paris, sans le sou, je cherchais une famille d'adoption, qui me console de la mienne et m'ouvre des perspectives exaltantes.

Je dus vite déchanter : la capitale était trop forte pour moi. Je ne disposais d'aucun moyen intellectuel ou physique de la domestiquer. De tous les emplois réservés aux pauvres dans notre société, larbin, voyou, révolté, aucun ne me convenait. Je n'avais qu'une passion, les livres, mes seuls alliés dans ma lutte contre le temps. Je préfère les livres aux humains : ils sont déjà écrits, on les ouvre, on les ferme à volonté. Un être humain, on ne sait jamais comment le prendre, on ne peut le ranger ou le déranger à loisir. Je m'enlisai, après un bac obtenu de justesse, dans des études de lettres dont le principal effet fut de me confronter à des auteurs qui m'écrasaient de leur talent. Je décrochai avec peine et au prix de multiples tricheries une licence et abdiquai devant la maîtrise. Ayant gardé de ma jeunesse une vénération désuète pour l'imprimé, j'aspirais à la gloire littéraire

44

alors même que je n'avais rien à dire, aucun don à faire fructifier. Mais résolu à ne jamais retourner dans ce trou de province où j'avais trop longtemps végété, je me cramponnais de toutes mes forces à Paris. Des années durant, je vécus d'expédients : je fus serveur dans des gargotes, garçon de courses, Père Noël pour les grands magasins. Je véhiculais de vieilles personnes dans des chaises roulantes, je fus répétiteur de grammaire, d'anglais pour des péronnelles qui bâillaient dès que j'ouvrais la bouche. Je lisais la presse à des pensionnaires d'hospice, nous commentions les nouvelles ensemble, je me rangeais toujours à leurs opinions. Une dame, retraitée des Postes qui voyageait beaucoup, me paya pour aller peigner et nourrir son chat tous les soirs à 18 heures. Je devais lui mettre un air spécial, *Schéhérazade* de Rimsky-Korsakov, m'envelopper dans un voile, esquisser quelques pas de danse. Alors seulement le mistigri ronronnait et acceptait de manger sa pâtée.

Je promenais aussi des chiens que me confiaient leurs propriétaires. J'en avais certains jours quatre ou cinq au bout de ma laisse. Ils formaient une meute bruyante et frémissante qui laissait derrière elle toutes sortes de souvenirs plus ou moins odorants. Je m'asseyais souvent sur un banc pour leur donner lecture de quelque nouvelle ou poème de ma composition. S'ils remuaient la queue ou me léchaient la main, c'était bon signe. La plupart du temps, ils se mordaient, se reniflaient les parties, se grimpaient, s'emboîtaient les uns dans les autres, au grand amusement des gosses du quartier. Sur ce plan, nous ne valons pas mieux que les chiens : ils font en public ce que nous faisons en cachette et eux au moins ont l'excuse d'être des bêtes.

J'habitais au septième étage d'un immeuble vétuste du 19ᵉ arrondissement dans un galetas minuscule sans douche avec waters sur le palier. Mon seul luxe, c'était la télévision que je regardais plusieurs heures par jour, je m'étais offert le câble. J'avalais toutes les émissions, films et séries, je courais d'une chaîne à l'autre, avide de ne rien rater jusqu'aux heures les plus avancées de la nuit. Ce fut alors que je découvris ma voie. Un des maîtres de mes chiens, m'ayant vu lire, me supposa quelque culture et me fit part d'un problème. Il voulait envoyer une lettre de protestation aux impôts, ne trouvait pas les termes adéquats. Je la lui rédigeai et sa réclamation fut prise en compte. Après quoi je devins une sorte d'écrivain public pour les vieilles personnes de la rue, les illettrés, les étrangers qui maîtrisaient mal notre langue. J'envoyais des nouvelles aux proches ou aux parents, remplissais des formulaires, rédigeais notices nécrologiques et avis de naissance pour les journaux. Mes tarifs étaient modestes, le travail ne manquait pas. Je me fis une petite réputation dans le quartier et l'on vint à moi d'arrondissements limitrophes. Mais le vrai déclic ce fut les lettres d'amour : une dame de 55 ans qui avait cru retrouver le fiancé de ses 18 ans me pria d'exprimer en termes fleuris les sentiments qui l'agitaient. Je m'acquittai de ma tâche avec diligence. La missive dut plaire car j'eus d'autres commandes. Je mis alors au point la méthode qui devait si bien me réussir plus tard. Chargé du courrier des amants éconduits, des époux séparés, des prétendants malchanceux, je me trouvais astreint à une double contrainte d'originalité et de renouvellement. Je pris donc l'habitude d'aller piocher chez les grands écrivains que j'avais étudiés : à l'un j'empruntais un compliment, à l'autre une galanterie, à un troisième une épigramme bien tournée. J'écumai les textes pour en extraire la petite monnaie du sentiment, des mensonges convenus, des mièvreries qui plaisent. Je construisais pour chaque situation, rencontre, demande en mariage, rupture, une lettre type dans laquelle j'insérais, à la manière d'un diamant dans une verroterie, un vers de Baudelaire, une phrase de Proust que je remaniais et retaillais pour l'adapter au contexte. Mes clients n'y voyaient que du feu. Parfois les membres d'un même couple me consultaient et je devais prendre garde de ne pas répéter avec l'un ce que j'avais déjà écrit pour l'autre. Des hommes, des femmes venaient me demander conseil, me faire leurs confidences. Moi qui n'avais aucune vie sentimentale, je devins la providence des cocus et des délaissés. Mon amour des animaux inspirait confiance. On me savait gré de ma capacité à manier le langage du cœur, à convaincre une jeune fille hésitante, à émouvoir un mari fâché, un fiancé trompé. Pour simuler l'ardeur, la flamme, le repentir, je ne lésinais sur aucun cliché, aucune platitude, lesquels étant anciens semblaient originaux à qui les ignorait.

Ma réputation dépassa le petit cercle de mes commanditaires. Je fus approché par un éditeur qui me proposa en toute confidence l'accord suivant : écrire un faux de Victor Hugo pour le lancer sur le marché à la façon dont on avait lancé un inédit de

47

Jules Verne, il y a quelques années. Sur une intrigue qu'il me fournissait, la retraite d'un grognard lors de la campagne de Russie, ses tribulations à travers l'Europe, son emprisonnement en France sous la Restauration, sa participation aux journées de 1830 et 1848 et sa mort le jour du coup d'État de Louis Napoléon Bonaparte, je devais broder un « à la manière de » qui trompe jusqu'aux spécialistes les plus chevronnés. Pour sa part il se chargeait des relations juridiques, des éventuels litiges avec les héritiers. Tels ces peintres qui font du Cézanne ou du Matisse à la chaîne, je devais m'immerger si complètement dans la prose de Hugo, m'imprégner de son souffle, de son sentimentalisme que tout ce qui sortirait de ma plume semblerait jailli de la sienne. Un troisième larron, habile en maquillage, préparerait ensuite un manuscrit de seconde main, prétendument recopié par un tiers en 1887 d'après l'original perdu et retrouvé par hasard dans les caves d'une maison de Guernesey où Hugo a vécu en exil.

Aucun document n'était signé entre l'éditeur et moi : il me contacterait par le biais d'une boîte postale. Le salaire devait être versé moitié à la commande, moitié à l'exécution. La rédaction finale serait épluchée ligne à ligne par un connaisseur de Hugo, un professeur de terminale désireux d'arrondir ses fins de mois et qui par ailleurs, miraculeuse coïncidence, ferait partie du collège d'experts chargés d'authentifier le document. L'ensemble devait être livré si possible dans une demi-année. En cas de difficulté, nous ne nous étions jamais rencontrés.

Une fois par mois, toute l'équipe se retrouvait dans

l'arrière-salle d'un café de la place Clichy. L'éditeur avait chargé un autre garçon de mon âge, un gandin longiligne, de réécrire les classiques. Sa tâche était double : d'un côté abréger les grands romans du XIXe siècle, les ramener à la taille idéale de cent cinquante pages, le maximum de ce qu'un lecteur moderne peut endurer. De l'autre les alléger, les purger de leurs archaïsmes, les traduire en français contemporain, clair et basique. Il avait déjà traité *Les Frères Karamazov, Guerre et Paix* ainsi que *Les Illusions perdues* réduites au format d'une plaquette. Allez savoir pourquoi, ce professionnel en compression de chef-d'œuvre avait pris Balzac en grippe et le traitait comme un cancre indûment gratifié par la postérité du prix d'excellence. Il avait écrit à l'Académie française pour exiger, preuves à l'appui, que l'on raye l'auteur de *La Comédie humaine* des manuels de littérature. Il assistait à nos réunions en qualité de témoin car il projetait de s'attaquer bientôt à Victor Hugo et de « dégraisser » *Les Misérables* et *Notre-Dame de Paris*. Il ne faisait guère de doute que Hugo à son tour, sous l'œil de ce juge intraitable, rejoindrait la troupe des imposteurs de la renommée.

Au terme échu, besognant sur les livres du Maître comme un insecte sur le corps d'un géant, je remis ma copie. Elle fut scrutée, jugée ligne à ligne par le professeur de littérature qui l'estima bien en dessous du modèle et releva une centaine d'erreurs. J'avais commis le péché par excellence dans ce type de démarches, le « rétrospectivisme », attribuer à l'époque de Hugo des inventions ou des termes qui n'apparurent qu'au siècle suivant. La seule découverte d'une de ces invraisemblances eût ruiné l'ensemble du projet. Je repris le tout en tenant compte de ces observations. J'arrangeai divers épisodes et modifiai la fin à ma façon. Ma chute plut beaucoup et j'étais presque certain de me voir confier d'autres travaux. L'apocryphe fut remis au faussaire afin qu'il le retranscrive à la main et le transforme en pièce d'époque. Il fit vieillir le papier, l'exposa à l'humidité et à la moisissure, le calligraphia avec une encre spéciale et une plume à l'ancienne. Pour accentuer l'effet d'authenticité, il donna une centaine de pages à ronger à des mulots. A son actif, notre arrangeur, aidé d'un chimiste, avait déjà « fabriqué » des douzaines de parchemins anciens sans que nul ne soupçonne une contrefaçon. Mais une dénonciation fit capoter l'affaire. Un matin, sortant du métro de la place Clichy, j'aperçus devant la terrasse du café une voiture de police. Je sus d'instinct que nous étions suspects. Je m'éclipsai, déçu de n'avoir pas touché le reste de la somme – la rémunération en liquide devait m'être versée ce jour-là – espérant qu'il n'existait nulle trace de mon nom dans l'agenda de l'éditeur.

Je me terrai chez moi quelques semaines, ne sortant qu'à la nuit tombée, redoutant l'intrusion des hommes en uniforme. Je repris mon petit commerce épistolaire. Bien que n'ayant aucun style propre, je n'avais toujours pas renoncé à devenir romancier, à rejoindre cette tribu en voie d'expansion et qui grossit sur un capital de plus en plus maigre de lecteurs. En ce temps-là, un particulier m'offrit de ranger et de classer sa collection de livres riche d'à peu près cinquante mille volumes. Elle s'étalait sur quatre immenses pièces d'une demeure de campagne en Normandie. Au bout d'un mois, à raison de huit à dix heures de travail par jour, je n'étais même pas arrivé à la lettre D. Je me noyais dans un océan d'éditions princeps, d'in-folio de tous formats, de tous siècles. J'abdiquai donc. Mais cette incursion dans l'infiniment grand m'avait donné une idée : puisque les bibliothèques sont des nécropoles insondables, pourquoi ne pas les mettre au service des vivants ? Pourquoi ne pas ressusciter les morts, piller ces charmantes reliques que personne ne consulte plus ?

Considérez un instant ces milliers de titres échoués sur leurs étagères comme autant d'épaves : ils croupissent dans l'oubli et leur disparition ne ferait pas un bruit. Il y en a trop. Ces tombeaux de signes, murés à jamais dans le silence, je pris donc sur moi de les recycler. Puisque tout est écrit, à quoi bon recommencer, chercher des idées neuves ? Il suffit de recopier, de croiser, en un mot de se servir. Je procédais de la façon suivante : sur une idée elle-même barbotée à quelque scribe inconnu, j'allais faire mon marché chez les grands et les petits maîtres du passé pour bâtir ma propre œuvre. Je me rendais dans les bibliothèques et prélevais sur un cahier ma provision de scènes, de métaphores. Je classais les matériaux par thèmes : clairs de lune, disputes, assassinats, matins de printemps, jours de pluie, étreintes amoureuses, etc. Je mettais le tout en mémoire sur mon ordinateur et de ce pot-pourri, je m'apprêtais à tirer de nouvelles harmonies. A chaque auteur, par prudence, je ne dérobais en général pas plus d'un ou deux termes, un vocable et son attribut. Je ne volais pas, je grappillais :

51

effectuée à un niveau si microscopique, la fraude est indétectable, c'est une friponnerie sans importance. J'échappais ainsi au dépistage d'enquêteurs éventuels.

J'obéissais en outre à un principe absolu : ne plagier que les morts. Les vivants sont tellement susceptibles ! Ils idolâtrent leurs moindres chiures de mouche et disposent d'un flair infaillible pour les repérer chez les autres. Ils ont la naïveté de se croire propriétaires de leurs textes ! Je ne voulais pas me retrouver avec des légions d'avocats à mes basques. J'évitais en outre les formules trop connues qui auraient éveillé les soupçons de n'importe quel lettré. Les larcins devaient rester discrets. Grand détrousseur d'ouvrages, je sertissais ma prose de mille expressions venues d'ailleurs que je polissais ensuite et harmonisais par un patient travail. J'enchâssais les phrases des autres dans les miennes et j'arrivais même à produire quelques tournures de mon cru qui, ma foi, n'étaient pas pires que la moyenne. Quel policier assez fou aurait pu remonter les centaines de pistes enchevêtrées dans ce palimpseste et perdre des années, voire une vie à chercher dans la littérature universelle l'origine de mes emprunts ? En agissant ainsi, le charognard que j'étais faisait office d'éveilleur : j'exhumais les classiques des rayons poussiéreux où ils achevaient de se consumer, je les sauvais du purgatoire. Ils avaient eu leur part de gloire, à mon tour d'en profiter. Je ne leur enlevais rien, eux contribuaient à ma reconnaissance, à ma réputation. Mon brigandage était un acte d'amour, ils se prolongeaient à travers moi comme le défunt survit dans la chair du cannibale qui le dévore.

La récompense du tricheur

Le plagiat, docteur, n'est pas seulement ma façon
d'écrire, il est la tonalité de ma vie. Je suis un être
entièrement emprunté, un petit glouton mimétique
comme ces oiseaux polyglottes qui savent contrefaire
tous les chants mais n'ont eux-mêmes aucun chant
propre. Je singe ceux que je croise, j'attrape tout ce
qui passe. En ce moment même, tandis que je vous
parle, je m'aligne sur votre maintien, votre manière
d'écouter, de vous tenir. Mon visage aussi, je l'ai cha-
pardé et c'est pour cela que je le cache. C'est plus fort
que moi, je veux être les autres, me mettre à leur
place, les connaître de l'intérieur, je suis une eau
avide d'épouser tous les contours. D'ailleurs je
n'imite pas, non, le mot est faible, j'adhère passionné-
ment à autrui, je m'immole à lui. Vous connaissez
l'histoire de ce caméléon qui s'installe sur un plaid
écossais. Quelques secondes plus tard, il explose. Il
n'a pas pu choisir entre les couleurs. C'est tout moi :
qu'un être intéressant se présente, je vole vers lui, le
reproduis dans ses moindres détails : c'est ma seule
façon de devenir quelqu'un.

J'aspirais donc à écrire un roman qui serait la résul-
tante de ceux que j'avais lus, le seul roman qui ne
doive rien à son auteur. J'exagère : à ma façon je
créais puisqu'en combinant diversement les mots des
autres, je leur donnais un sens neuf. Mais chacune des
lignes que je traçais était irriguée du sang d'un écrivain pillé. J'achevai ce labeur au bout d'un an. Je
signai le manuscrit du pseudonyme de Benjamin Nor-
resh dans lequel un esprit exercé comme le vôtre,
docteur, ne manquera pas d'entendre l'anagramme de
Schnorrer, le « parasite » en yiddish. Curieusement

l'ouvrage fut tout de suite accepté par un petit éditeur de la Rive gauche : il m'offrit de le publier moyennant quelques coupes. J'opinais, riant de voir mon correcteur biffer des passages de Mérimée, Zola, Dickens et Diderot. Croyez-le ou non, le livre connut un vrai petit succès. Vous l'avez peut-être vu en librairie, il s'intitulait *Les Larmes de Satan* et a remporté le prix de la Ville de Paris. Non ? Vous ne lisez pas les nouveautés ? Toujours est-il que les critiques dans l'ensemble furent favorables ; j'avais si bien emboîté et raboté les éléments disparates les uns dans les autres que nul ne décela la moindre supercherie. On salua mon art du patchwork, on me crédita d'avoir récapitulé dans une « écriture de la résonance » toute l'histoire littéraire du siècle. Chaque article élogieux m'envoyait un flux chaud dans le corps, me coulait le long des membres comme une caresse. Enfin j'étais justifié d'exister, j'entrais par la petite porte dans la comédie littéraire.

LES BONNES FORTUNES D'UN IMPOSTEUR

Jusqu'au jour où je trouvai dans ma boîte une belle enveloppe doublée en papier bleu vélin écrite à la main d'une graphie élégante. Je crus aux hommages d'une lectrice. L'épître était ainsi libellée :
« Monsieur,
« Je viens d'achever la lecture de votre roman *Les Larmes de Satan*. Je ne vous parlerai ni de l'intrigue calquée sur celle des *Oiseaux enchanteurs* de Pierre

d'Arcy paru en 1895 à Genève ni du style qui souffre d'une relative incohérence malgré vos efforts pour homogénéiser le tout. En revanche j'ai été sensible aux citations diverses dont vous avez truffé votre prose : vous avez vraiment puisé au pot commun de la littérature mondiale. Pour ma part j'ai relevé des bouts de phrases, je devrais dire des brindilles de Proust, de Zola, de Théophile Gautier, de Sophocle, de Tanizaki, de Mishima, de Moravia, de Goethe et j'en passe. A vue de nez, je dirais que sur 250 000 mots, il doit y en avoir à peine 1 000 de vous et encore des conjonctions et des adverbes pour la plupart. Cela fait beaucoup de dettes pour un ouvrage de 200 pages ! Pourquoi ne pas en discuter tranquillement autour d'un verre ? »

C'était signé Hélène Dalhian et suivi d'un numéro de téléphone. Je fus tétanisé : quel esprit assez puissant avait pu débusquer mes maraudages ? J'avais brûlé mes notes prises sur cahier ; quant à celles stockées en mémoire sur mon ordinateur, j'en avais protégé l'accès par un code secret. Je me voyais déjà passant devant un tribunal des attributions littéraires : tel adjectif doit être rendu à Vigny, tel autre à Stendhal, la dix-septième phrase de la page 155 appartient tout entière à Fitzgerald, malgré la modification du temps des verbes, la dix-huitième est un démarquage d'Hemingway avec un petit détour chez Faulkner, etc. A la fin, mon livre serait complètement désossé et on me rendrait mon dû, un maigre stock de voyelles, de prépositions et de compléments d'objet. Ça n'était pas possible, elle bluffait, elle ne pouvait rien savoir. Je fis le mort : bien mal m'en prit. Ce fut un bombardement de lettres qui bloqua ma boîte. Chaque enveloppe bleue annonçait une mauvaise nouvelle. Le ton avait changé : aux demandes courtoises de me rencontrer avaient succédé de véritables intimations. Ma mystérieuse correspondante m'ordonnait de lui répondre. Je ne doutais pas de sa détermination si je persistais dans mon silence. La mort dans l'âme, je l'appelai et nous convînmes d'un rendez-vous à la terrasse d'un café du Palais-Royal.

Elle vint à moi sans hésiter comme si elle me connaissait depuis toujours. Elle était jeune, sûre d'elle, portait un blouson de cuir et un jean, l'uniforme de sa génération. Elle commanda une eau minérale, eut quelques propos anodins puis en vint au fait. Elle sortit de son sac trois feuilles de papier et me les tendit : c'était la liste quasi exhaustive de mes sources, le catalogue de mes rapines. J'en eus le souffle coupé : cette femme lisait littéralement dans mon cerveau. Elle me sourit.

— Je comprends votre étonnement. Rassurez-vous, je n'ai aucun don de divination mais beaucoup de patience et d'opiniâtreté. Je vais être franche. Je vous ai croisé il y a un an dans la bibliothèque du Centre Pompidou, je suis moi-même étudiante en anthropologie. Votre visage m'a frappé mais plus encore votre goût pour l'éloignement. Vous vous teniez à l'écart des autres, au bout d'une rangée, disparaissant derrière une pile de bouquins épaisse comme une muraille. Vous aviez l'air d'un copiste enfoui dans ses papiers. Vous grattiez, seul, sourd et secret, sans jamais lever le nez de votre table. Je connais les pathologies des mangeurs de livres, la démence de l'autodidacte qui veut posséder tout le savoir et le retranscrit inlassablement.

« Vous me sembliez atteint d'un autre mal. Je revins tous les jours et tous les jours vous étiez là, à la même place, à la même heure, terriblement régulier et appliqué. Plusieurs fois, je passai derrière vous, jetai un œil sur les ouvrages consultés. Vous en reproduisiez des extraits sur un grand cahier d'écolier à couverture verte. C'est cela qui m'a alerté d'autant que vous n'aviez plus l'air d'un étudiant et encore moins d'un professeur. Votre marotte a fini par me fasciner. Soupçonnant quelque anomalie, je revins plusieurs fois et m'arrangeai pour m'asseoir en face de vous. J'observai plusieurs faits étranges : vous cochiez au crayon gras les parties qui vous intéressaient, effaciez ensuite cette marque à la gomme. J'ai une excellente vue, je retenais en le lisant à l'envers le numéro de la page qui vous occupait. Dès que vous partiez, j'allais reprendre les volumes où vous les aviez rangés et retrouvais sur les pages en question de minces épluchures qui trahissaient le gommage. A mon tour, par pur mimétisme, je recopiais dans un carnet le passage en question avec les références exactes. J'aurais pu passer ainsi des années à relever derrière vous les morceaux de nouvelles ou de romans que vous compulsiez. Je me demandais de quelle folie vous étiez possédé et pourquoi vous me l'aviez communiquée. J'étais bien près d'abandonner, j'y perdais un temps précieux. Un jour je vous ai suivi jusqu'à votre appartement. J'ai appris votre nom en vous voyant ouvrir et fermer votre boîte aux lettres. Vous ne soupçonniez rien, d'ailleurs vous ne regardez pas les femmes. J'enquêtai discrètement sur votre occupation en graissant la patte à un gamin du quartier et découvris ainsi votre statut d'écrivain public. J'appris ensuite qu'on vous avait aperçu dans un café de la place Clichy en compagnie de cet éditeur qui a été inculpé l'année dernière. C'est alors que j'ai eu le sentiment d'avoir soulevé une affaire. Je ne vous lâchais plus, cette traque me passionnait. J'engageai un privé qui s'introduisit plusieurs fois dans votre domicile à votre insu. Il consulta votre traitement de texte, réussit à deviner le code d'accès, photographia la totalité de votre appartement ainsi que les nombreuses pages du manuscrit que vous aviez déjà entamé.

Hélène Dalhian, toute à l'effet que ses paroles produisaient sur moi, s'exprimait sans hâte. A mesure qu'elle avançait dans son récit, je me décomposais.

— J'étudiais donc attentivement les feuillets que j'avais sous les yeux. Je percevais bien une entourloupe sans parvenir à la formuler. Vous aviez éparpillé votre butin mais à la façon dont on sème le persil dans une salade : cela se voyait. Enfin je m'arrêtai sur une petite phrase déjà lue ailleurs : « J'aime les rivières d'un amour désordonné. » Cela sonnait comme une réminiscence. A force de fouiller dans mes notes, je tombai sur l'auteur de cette proposition et par là même je devinai la clef de votre méthode. J'étais heureuse comme un espion qui a trouvé le chiffre d'un message crypté. Cette phrase était tirée d'une nouvelle de Maupassant *Amour* qui commence ainsi : « J'aime l'eau d'une passion désordonnée. » L'imitation était flagrante. Vous étiez gonflé tout de même d'avoir volé un auteur aussi populaire. Cette nouvelle avait dû vous inspirer, j'en dénombrai cinq autres emprunts dans le même chapitre. Votre procédé n'était pas infaillible. Je me mis au travail, curieuse de reconstituer le puzzle. Je décelai d'autres appropriations. Grâce au zèle de mon privé qui entrait chez vous dès que vous en sortiez, je suivais jour après jour la progression de votre roman. A chaque ligne, je me disais : ça n'est pas vrai, il n'a pas osé. Mais si ! Même les interjections « Bonjour », « Comment ça va ? » me semblaient recrutées chez les autres. A votre actif, je dois dire que l'arrangement était plutôt réussi et qu'un lecteur non averti pouvait se laisser prendre. Quelques mois plus tard, votre opus sortait. Il eut un certain retentissement : on parla de polyphonie, de macédoine, quelqu'un décela même une lointaine influence de Rabelais. S'il n'y avait eu que Rabelais ! J'achevai de démonter votre texte en le comparant terme à terme avec les notes de mes carnets. Cela me prit des mois. Vous aviez bien brouillé les pistes mais avec de la ténacité, il était possible de démêler l'écheveau. Coupler dans une même phrase Hoffmann, Sénèque et Sartre était habile et déroutant : derrière l'extrême complication, le jeu était pourtant d'une candeur enfantine. Une fois que j'eus le mode d'emploi, je reconstituai l'immense tapisserie. Il me reste quelques blancs que je n'ai pu localiser mais je suppose qu'ils ne sont pas plus de votre cru que le reste ? Car rien dans ce livre n'est de vous, n'est-ce pas ? Rassurez-moi !

Déconfit, je voyais s'écrouler en quelques minutes une besogne de plusieurs années. Mes rêves de gloire fracassés, j'allais encourir la honte, le déshonneur, le ridicule. Je resterais voué à mon obscur labeur de scribe d'immeuble. Je regardai mieux celle qui était la cause de ma chute : Mlle Dalhian entrechoquait avec nonchalance les glaçons dans son verre tout en mâchonnant le stick de son Perrier. Pâle de peau, mince, elle avait noué ses cheveux châtains en queue de cheval. Deux boucles d'oreilles en cristal bleu oscillaient au rythme de sa conversation. Ma déchéance prenait le visage d'une jeune fille enjouée. Elle avait beau me considérer avec une certaine sympathie, elle était là pour m'accabler, non pour me plaire : j'attendais la sentence. Du ton le plus badin qui soit elle me dit :

— Vous êtes un petit garnement, monsieur Tholon !

Elle me fixait de ses grands yeux clairs. Je restai saisi de tant de cruauté. Qu'elle en finisse au lieu de jouer avec moi.

— Je vous préviens, je n'ai pas d'argent. Inutile de me faire chanter.

Elle fronça les sourcils.

— Mais qui a parlé de ces vilaines choses, monsieur Tholon ? Je ne veux rien de particulier sinon faire votre connaissance, bavarder avec vous. Peut-être même vous revoir de temps en temps.

A ce moment-là, un djinn facétieux prit la forme d'une petite tornade de vent qui balaya la table du café et emporta toutes les feuilles.

— Qu'est-ce qu'on fait ? On laisse filer les preuves ? demanda en souriant mon interlocutrice.

Je m'empressai de les ramasser, courant dans les pieds des clients pour les récupérer.

— De toutes les façons, j'ai un double.

Sans me donner le temps de trouver une réplique, Hélène Dalhian prit congé en me laissant régler les consommations. J'étais défait. Je passai les jours suivants à attendre mon arrestation, certain de voir mon livre saisi, mon nom traîné dans la boue.

Il n'en fut rien. Mais j'avais abandonné toute idée d'entamer un second roman : depuis qu'Hélène avait éventé mon procédé, je n'étais plus bon à grandchose. Une semaine plus tard, elle m'appela, m'invita à déjeuner. Je n'avais pas le choix de refuser. Nous causâmes comme deux camarades, elle très à l'aise, moi guindé. Elle était d'un chic discret et m'intimidait. J'étais resté maladroit, terriblement provincial jusque dans mon refus de la province. Je n'avais aucune habitude du monde et de ses usages, je manquais du divin aplomb de qui peut engager une conversation avec n'importe qui. Mon physique luimême ne jouait pas en ma faveur : surprendre dans une glace mon faciès de petit vieux de 37 ans m'était un sujet d'embarras constant. Je gigotais sur mon siège, trahissais ma gêne par de multiples détails. L'amabilité d'Hélène m'exaspérait : elle se délectait de mes angoisses, retardait le moment de porter l'estocade, de me livrer aux autorités.

Peu après elle me convia chez elle ; elle habitait un splendide trois-pièces dans un immeuble du XVIIe siècle, à quelques pas de la Seine, dans le quartier de Buci. Son appartement était un nid de bienêtre et de raffinement. J'errais comme hébété parmi ces hauts plafonds, ces tentures de belle toile, ces chambres vastes, lumineuses qui échappaient à l'oppression propre aux intérieurs bourgeois. Hélène avait hérité de ses parents, morts quelques années auparavant, une confortable fortune. Qu'elle soit orpheline de fait la rapprochait de moi qui était orphelin de cœur puisque j'avais rompu tous les ponts avec ma parentèle. Elle venait d'avoir 25 ans, terminait des études d'anthropologie et n'avait aucune idée du métier qu'elle voulait exercer. Sa vraie passion allait aux livres, elle possédait une bibliothèque impressionnante pour une jeune femme de son âge. Ce soir-là je saisis enfin une partie de l'invraisemblable vérité : Hélène n'avait nulle intention de me punir et encore moins de m'extorquer de l'argent puisqu'elle en disposait en abondance. Alors pourquoi m'avoir harcelé de la sorte ? Cette première visite chez elle me fut un supplice ; j'avais beau feindre l'indifférence, j'admirais la richesse des étoffes, la facture des meubles, les signatures prestigieuses au bas des tableaux, les longues draperies gonflées comme des lèvres devant les fenêtres. Le parquet avait un moelleux, un brillant de bois précieux et je brûlais de me déchausser pour en sentir le contact sous la plante de mes pieds. Hélène manifestait une courtoisie suspecte : m'avait-elle convié par gentillesse ou pour étaler sous mes yeux tous les biens dont je serais à jamais privé ? La simplicité avec laquelle elle était venue à moi pouvait être de la curiosité autant que du mépris, l'envie de jouer avec un être démuni qu'on tient entre ses mains.

Le lendemain, elle débarquait chez moi à l'improviste en dépit de ma forte réticence à lui montrer ma chambre de bonne au dernier étage d'un

immeuble haussmannien entre Belleville et Ménil-
montant. On y accédait par un escalier de service
aux parois couvertes d'obscénités. De ma seule
fenêtre, je voyais Montmartre, le Sacré-Cœur et
toute la plaine de Paris. Le soleil l'été m'arrivait de
plein fouet et un rideau délavé n'en pouvait adoucir
les rayons. L'hiver le sommet de l'immeuble craquait et gémissait sous le vent comme un navire
dans la tempête. Les courants d'air glacés se faufi-
laient sous la porte. D'un bout de l'année à l'autre,
une odeur de graillon et de cabinet d'aisances flottait dans les corridors. Hélène contempla mon
gourbi avec un sourire figé, ponctuant chacun de ses
pas d'un « ah, oh, très beau » qui me blessait jusqu'à
l'âme. Après la visite de la veille, le contraste était
cruel. La châtelaine descendait chez son manant
constater qu'il existe encore des pauvres. Qu'elle
s'extasie sur ces quelques mètres carrés de pouillerie, ces murs écaillés, ce lit défoncé, qu'elle
demande à se laver les mains dans le lavabo sale où
pourrissait un pain de savon m'écorcha vif. Je me
complais dans ma crasse à condition qu'elle reste
sans témoins. Je redoutais plus encore qu'elle ne
tombe sur un de mes compagnons d'étage, déclassés
comme moi, étudiants increvables, scénaristes au
chômage, chanteuses sans engagement, pseudo-
comédiens, franc-maçonnerie de perdants nichés
sous les combles. Elle s'attarda sur la penderie, sur
mes deux uniques costumes élimés, examina mes
livres (« Et vous les avez tous lus ? »), regarda par la
fenêtre en répétant :

« En tout cas la vue est magnifique ! »

63

Le compliment était chez Hélène la forme supérieure de la condescendance. Après cette inspection, elle se retourna vers moi et me dit avec un grand sourire :

— Maintenant, mon cher Benjamin, invitez-moi à dîner !

Avant que je m'en rende compte, nous étions dans un taxi qui roulait vers un établissement fameux. Je paniquais ; je me sentais mal habillé, inadapté et surtout je craignais d'engloutir dans ce repas mes maigres économies. Mais juste avant de sortir du taxi, Hélène me glissa dans la poche un billet de cinq cents francs (« Tenez, Benjamin, faites donc l'homme ce soir, payez »). J'aurais dû lui jeter son billet à la figure, sortir ; je me contentai de le froisser entre mes doigts pour m'assurer qu'il était vrai. Le sort en était jeté et dès ce moment je devins son prisonnier.

LA RÉDEMPTION PAR LE LUXE

Plus tard, ce même soir, nous nous retrouvâmes dans son appartement, moi gauchement posé sur une chaise, elle étendue sur un sofa. Deux pastilles roses coloraient ses joues.

— Benjamin, vous ne m'en voulez pas de mes petits stratagèmes ? Aurez-vous un jour de l'amitié pour moi ?

J'étais pétrifié, je sentais poindre une catastrophe. Haletante elle lâcha enfin :

— Benjamin, voulez-vous me déshabiller, s'il vous plaît ?

— Vous déshabiller ? Pour quoi faire ?

— J'ai envie d'être nue devant vous.

C'était le comble ! Je vous dois la vérité, docteur, la femme ne m'a jamais intéressé. J'en reconnais les séductions mais reste en dehors de son emprise. J'avais vécu jusqu'à 37 ans quasiment puceau à l'exception d'un ou deux flirts qui s'étaient mal finis. Quand on a été un adolescent timide, peu sûr de soi, les barrières entre les sexes sont des barrières métaphysiques qui séparent deux espèces aussi éloignées l'une de l'autre que le lion du loup. Le plaisir charnel n'est donc pas mon fort ; je crains trop de me dilapider, j'économise ma semence, je la stocke sachant qu'elle est source de vie. Je suppliai Hélène de ne pas se dévêtir ; plutôt me livrer à la police que me demander cela.

— Benjamin, nous sommes allés trop loin pour en rester là. Je vous en prie, tirez sur ma botte d'un coup sec.

J'étais confondu par son audace. Je tremblais que cette première étreinte, si je la menais à bien, n'inaugure une longue série d'autres. J'allais payer très cher mon petit forfait. Je ne sais comment je parvins ce soir-là à surmonter ma colossale incompétence. Heureusement Hélène fut tendre et constatant mon embarras évita de trop exiger. Elle avait un corps rond, plein de bontés et sa nudité douillette, en harmonie avec son visage aux traits délicats, sut me rassurer. Pour finir, je sauvai l'honneur et m'endormis entre ses bras, redoutant de mourir puisque j'avais lâché ma substance vitale. Peu après, en effet, je tombai malade. Hélène me soigna, dépensant des trésors d'ingéniosité pour me soulager. Elle profita de mon alitement pour faire un peu de rangement chez moi, décorer ma chambre. Je ne comprenais toujours pas pourquoi cette fille de bonne famille s'occupait d'un paumé comme moi.

En quelques semaines, elle m'avait complètement pris en charge. Je me laissais faire et plus j'étais passif plus je recevais. Parfois je la provoquais :

— Si je m'en vais, vas-tu me dénoncer ? (Nous nous tutoyions désormais.)

Elle éclatait d'un rire moqueur.

— N'en doute pas un instant, ton dossier est dans un coffre.

Elle se reprenait.

— Mais je n'en aurai pas besoin puisque tu ne me quitteras jamais !

Avec le temps, j'avais dû reconnaître l'évidence : Hélène me donnait tous les signes d'un attachement certain. Elle me l'avoua : elle n'avait monté cette affaire que pour mieux me posséder. J'avais commis une faute qui aurait dû me perdre et elle m'avait sauvé. Comme je liais l'amour au mérite, je me sentais incapable de soutenir une telle affection, persuadé qu'un matin Hélène allait me chasser tel un malpropre. J'attends le désastre avec une telle ponctualité que lorsque le bonheur arrive, je ne le remarque même pas. Pour décourager ma nouvelle amie, je lui avouai à quel point j'intéressais peu les femmes, qu'elles s'écartaient de moi avec dédain.

Loin de me faire tomber dans son estime, cet aveu ne lui arracha qu'une phrase :

— Celles-là n'ont pas su détecter ce qu'il y a de meilleur en toi.

J'avais beau me rabaisser, elle ne voulait rien entendre, déployait un talent inépuisable pour me revaloriser. Je le compris enfin : elle s'était mis en tête de me racheter.

— Dès la minute où je t'ai vu, penché sur tes livres, j'ai eu envie de te prendre dans mes bras. Tu avais l'air si perdu, tu n'avais rien pour toi, je me demandais comment tu faisais pour survivre.

J'écoutais ébahi cette déclaration. J'étais terrorisé à l'idée d'entrer dans cette vie : je n'y arriverais jamais. Sa fortune jointe à son charme dressait devant moi un mur d'exigences exorbitantes.

— Crois-moi, Benjamin, je vais révéler un autre homme en toi, je vais te refaçonner.

La passion qu'elle me vouait se manifesta d'abord par une pluie de cadeaux. Hélène qui avait le goût du luxe dans ses gènes comme d'autres ont les yeux bleus avait connu une jeunesse si gâtée, si dorée qu'elle était passée au-delà de l'égoïsme et du caprice. Elle se montra à mon égard d'une générosité sans limites. Elle me loua d'abord un coquet deux-pièces dans le Marais où elle venait me retrouver presque chaque soir, ma garçonnière comme elle l'appelait. Elle me laissait pour l'instant libre de mes mouvements : nous emménagerions ensemble dès que nous nous connaîtrions mieux. Je me retrouvais dans un pied-à-terre exquis, meublé avec goût, comme je n'en avais jamais rêvé. Je quittai sans regrets mon bouge mais continuais par prudence à en régler le loyer et à y laisser quelques affaires. Je pouvais à tout instant perdre les faveurs de ma maîtresse, être renvoyé à mon ancienne condition.

Par la suite Hélène m'habilla : je me souviens du jour où elle me fit mettre nu dans le salon et brûla dans un grand feu de cheminée toutes mes frusques jusqu'à la dernière paire de chaussettes, jusqu'aux vestes. Elle jeta dans une poubelle mes chaussures, chaussons, sacs et valises. Il ne devait rien rester du vieil homme. Elle m'emmena alors dans des magasins où, sous le regard moqueur des vendeuses, je me montais peu à peu une véritable garde-robe. Ces courses en sa compagnie s'apparentaient à un calvaire ; elle en profitait pour essayer à son tour tailleurs, jupes, cardigans, me faisait entrer dans la cabine, dansait à demi nue sur la musique toujours à fond des boutiques, m'embrassait de façon indécente. Elle était chez elle partout, assiégeait les marchands, touchait les articles sans les remettre en place. Il semblait que tout lui soit dû et qu'il lui fallût en permanence une armée de domestiques à son service. Là où je ne possédais avant qu'une paire de souliers, deux ou trois caleçons usés à force d'être lavés, je les comptais maintenant par dizaines et je connus enfin l'anxiété propre aux riches : le vertige de l'abondance, la difficulté à choisir. L'essentiel, me répétait Hélène, est d'être à la fois chic et détendu. Elle me prodiguait ses conseils, surveillait mes tenues et ne manquait jamais de souligner mes fautes, nombreuses dans les premiers temps. Ses propres placards débordaient comme une caverne de pirates, surchargés de robes, de manteaux; elle s'y enfonçait des matinées entières, incapable de se décider, redécouvrait extasiée un déferlement précieux de lin, de soie, de mohair, tout un ruissellement d'étoffes dont chacune avait une âme, un parfum, tout un butin de grandes marques qu'elle ne se souvenait pas d'avoir acheté.

Enfin elle m'arracha à l'univers malsain des snacks et des sandwicheries, l'habituelle tambouille de l'étudiant fauché pour m'initier à l'art du bien-boire et du bien-manger. Outre qu'elle cuisinait de façon remarquable et savait d'un rien trousser un mets succulent, transformer des rogatons en festin, elle m'indiquait au restaurant les plats les plus fins, éduquait mon palais aux bouquets subtils, m'expliquait la science des dosages et comment, au-delà d'une certaine mesure, le délice devient pestilence. Elle me fit goûter les meilleurs crus du terroir, m'enseigna la différence entre le Pétrus et le Médoc, le Latour et le Margaux, le Pommard et le Volnay, me dressa une vaste fresque du vignoble français avec ses bonnes et ses mauvaises années. J'étais si avide de raffiner mes papilles que je trouvais excellent tout ce qu'Hélène me désignait comme tel. Elle m'expliqua ce qui distingue le potage du velouté et du consommé, le pouvoir liant de la pomme de terre et pourquoi il faut toujours couper le vert du poireau dans la soupe de légumes. Hélène était persuadée que tout s'apprend, les bonnes manières comme le calcul et qu'un individu peut accomplir par sa seule volonté en quelques mois ce que certaines castes ont mis des générations

69

à acquérir. J'étais un élève en session de rattrapage, je suivais un double cours d'intimité et de civilité. Et quand elle m'avait entraîné une semaine durant dans de grands restaurants où il fallait endurer le supplice du protocole, la servilité méprisante des maîtres d'hôtel et des sommeliers, elle me poussait dans les fast-foods, dans ces mangeoires bigarrées où, aux sons d'une musique californienne, nous nous gavions de hamburgers, de frites et de glaces pareilles à des hauts-de-forme. Nous nous goinfrions comme deux adolescents qui ont oublié leurs principes. Moi qui avais toujours erré dans les terrains vagues de l'amour où tout s'ébauche et rien ne s'accomplit, j'arrivais dans ces moments-là à oublier nos disparités et à voir presque une égale dans cette jeune femme qui se régalait à mes côtés.

Hélène incarnait l'esprit français par excellence : l'art comme on l'a dit de considérer gravement les choses légères et légèrement les choses graves. Experte en divertissement, elle mettait à s'amuser une rigueur quasi calviniste et préparait ses sorties comme d'autres leur plan de carrière. Il fallait se distraire sous peine d'incorrection. Son savoir-vivre se résumait à cette maxime : tirer le meilleur parti de chaque chose, transfigurer le moindre instant en occasion de joie. Elle avait ce talent unique d'enchanter le quotidien, de vénérer les petits plaisirs sans importance. Elle était aussi douée pour le bonheur que je l'étais pour l'échec. Spécialiste des escapades fastueuses, elle me promenait d'auberge en relais-château, me faisait toucher du doigt l'existence des oisifs et des pourvus. Dans ces palaces, je me sentais plus près des femmes de chambre et des portiers que des clients et je me faisais l'effet d'un traître passé à l'ennemi. A ses côtés, j'étais un roturier reçu à la cour, un rustre que l'on badigeonnait d'une teinture de politesse. Dans chaque hôtel, ma compagne, qui choisissait des petits nids d'amour, réaménageait la chambre, déplaçait un meuble, recouvrait un fauteuil d'un coussin plus gai. C'était une petite fée capable, en un clin d'œil, d'embellir un intérieur anonyme, de se l'approprier. Quand je voyais le montant de la note, j'étais estomaqué, je n'aurais jamais cru qu'on puisse dépenser tant d'argent en une nuit, que chaque heure de sommeil coûtât une telle somme. Hélène, qui ne connaissait pas le sens du mot « besoin » – elle n'avait que des « envies » – avait du mal à concevoir le monde d'où je venais, un monde où il fallait travailler pour survivre, calculer sou à sou et qui était le monde commun à une majorité de mes compatriotes. Elle me posait parfois sur ma famille, mon enfance des questions d'une naïveté confondante.

J'avais touché en elle la fibre missionnaire, elle se croyait avec moi préposée au salut d'un membre des classes inférieures. Elle voulait me tirer du bourbier, elle m'aimait pour me transformer telles ces femmes qui s'éprennent d'homosexuels dans l'espoir fou de les convertir. Elle avait beau avoir 25 ans et moi 37, je me sentais un enfant entre ses mains : elle se réjouissait de mes progrès, m'encourageait à persévérer.

Il me fallut plusieurs semaines pour reconnaître qu'elle était, selon les critères habituels, très jolie,

71

que beaucoup d'hommes la regardaient, de nombreuses femmes l'enviaient. Elle était toute en finesse, avec un cou très blanc, de délicates oreilles que j'avais envie de croquer comme de petits biscuits. Elle avait une façon de se passer la langue sur les lèvres quand elle était heureuse, de se lécher les babines à la manière d'un chat repu qui me ravissait. Elle émettait à son insu un halo de poésie qui semblait sourdre de la texture même de sa chair. Le charme : cette part de romanesque qu'une personne propage autour d'elle et qui la rend à nulle autre pareille. Je mesurai légèrement étourdi l'étendue de ses talents, la diversité de ses savoirs, et sa jeunesse jetait sur ces dons un éclat redoutable. Avec le temps je finis par lui vouer une certaine admiration et qui nous aurait vus aurait pu croire à deux tourtereaux roucoulant de concert.

Bien sûr, je n'étais pas dupe : j'étais son jouet, son rescapé sorti du ruisseau, son caniche de salon lavé, bichonné, entretenu sur un haut pied. J'étais sa bonne œuvre, avec moi elle expiait sa richesse de la même façon qu'elle donnait à tous les mendiants, préparant chaque matin des piles de piécettes de dix francs à distribuer dans la journée. Durant les neuf mois où nous fûmes ensemble, Hélène ne me présenta aucun de ses amis : elle attendait pour me sortir dans le monde que je sois prêt. J'étais en période probatoire, un naturalisé de fraîche date. J'aurais été terrorisé d'ailleurs qu'elle me mêlât à ses proches, tous aisés et de bonne extraction, aimables requins qui m'auraient déchiré de leurs médisances. Ce fut donc de bout en bout une liaison secrète ;

72

non qu'Hélène eût honte de moi. Elle attendait le moment d'être fière de ce que je serais devenu grâce à elle. M'ayant sorti de ma coquille, elle avait permis que je m'élève vers des régions plus hautes où je respirais mieux, que je me dépouille de l'être grossier que j'avais été. Elle aurait dû être l'instrument de mon châtiment, elle avait été celui de ma rédemption, m'avait accouché une seconde fois. Après quelques mois, je dus admettre que cette jeune femme m'était devenue indispensable. Je lui en voulais quelquefois de manifester à mon égard tant de libéralités. Il me serait difficile de lui rendre la pareille et ma gratitude prenait souvent les traits du ressentiment.

Seuls me coûtaient, je vous l'ai dit, les moments d'union charnelle. Constatant mon peu d'empressement à l'honorer, Hélène brandissait son désir comme une carte de priorité. Avec elle il fallait sacrifier à Vénus, pas question de s'y soustraire. Elle me fixait des rendez-vous par téléphone et d'une voix qui n'admettait pas l'objection commandait :

— Ce soir, petit rat de bibliothèque, tu passes à la casserole.

J'en étais malade d'avance. Mais elle avait quelque chose de suave dans les baisers qui désarmait mes réticences. Elle me suppliait de lui écarter les jambes comme on ouvre un livre fébrilement à la bonne page et me déversait tout chaud dans l'oreille des propos salaces ou hardis. J'en étais confondu. Et toute à sa passion des magnétophones, elle ne manquait jamais de nous enregistrer, de nous réécouter, ce qui ajoutait à mon embarras. Mais une fois terminé notre petit coma hystérique, j'étais bien récompensé. Certains couples s'adonnent à l'orgie, aux sévices volontaires. Notre perversion à nous, c'étaient les massages et les soins. Un jour que j'avais trop chaud, Hélène m'avait appliqué un onguent sur le visage : la sensation en avait été délicieuse, je l'avais suppliée de recommencer. De fil en aiguille elle en était venue à me dorloter et à me chouchouter comme si j'étais son propre fils. Elle me baignait, me savonnait, m'enduisait de toutes sortes de crèmes aux senteurs délicates, d'émulsions, de masques, de gels censés irriguer l'épiderme, effacer les rides, rendre sa tonicité à la peau. Elle puisait dans une multitude de flacons précieux, de coffrets de toutes les couleurs aux notices longues comme le code pénal. Avec un petit pinceau trempé dans une poudre ocre, elle me mettait de la bonne mine sur les joues. Mon rituel favori cependant résidait dans les séances hebdomadaires de pédicure et de manucure. Elle me coupait les ongles avec une minutie, une adresse qui me plongeaient dans l'extase. Il y avait tant à polir, à raboter sur mes orteils et mes doigts : je possédais toute une richesse insoupçonnée, j'abondais en superflu, rognures, cornes, cuticules. Ces traitements éveillaient d'incroyables sensations dans mes extrémités. Je ne sais quelle mystérieuse connexion envoyait de la main et du pied au cerveau de délectables décharges qui me laissaient pantelant. Et j'approchais de la béatitude quand Hélène, ayant transformé mes doigts en un bouquet de dix fleurs lisses et brillantes comme des miroirs, les recouvrait d'un baume adoucissant. Alors je sombrais directement dans le sommeil le plus profond.

Nos jeux ne s'arrêtaient pas là : elle adorait m'épouiller comme un singe, m'éplucher. Elle avait divisé mon anatomie en zones de prospection et scrutait chaque millimètre de la peau pour y détecter les saillies révélatrices, les cratères prometteurs. Elle mettait à percer, à extraire une rage maniaque proche de la jouissance. Elle voyait le corps masculin comme une terre barbare qu'elle n'en finissait pas de défricher, de débroussailler. Mes poils la rebutaient, ceux de ma barbe autant que du torse : je lui en accordais chaque jour un ou deux qu'elle tirait d'un coup sec. Croyez-le ou non : ces dépiautages, ces heures passées à être trituré, malaxé, tripoté devinrent ma volupté favorite. C'était sublime. Je ronronnais de plaisir. Personne ne m'avait jamais cajolé de la sorte. Les bras d'Hélène étaient un paradis dont j'aurais voulu ne jamais sortir.

C'est peu dire qu'elle me choyait, elle me mignotait comme un roi. Le matin, elle me servait un copieux petit déjeuner au lit sur un plateau recouvert de belle vaisselle, cuillères et couteaux d'argent, avec mes confitures favorites disposées dans des pots de cristal. Elle me beurrait et me passait les tartines à mesure que je les engloutissais. Première levée, elle me donnait la presse du jour, me calait les oreillers derrière la tête. Je me lamentais comme à l'accoutumée, elle trouvait les mots, les gestes qui rassurent. Elle me préparait toutes sortes de vitamines, d'oligo-éléments supposés m'éviter la consomption, le dépérissement. Ainsi bichonné, j'étais un prince, un pacha et Hélène à toute heure se jetait à mon cou, m'appelait son ange, son bébé, me chatouillait, me reniflait, collait ses lèvres aux miennes à m'étouffer. Je ne savais ce que j'avais fait pour mériter ces démonstrations mais quelle âme assez stoïque aurait pu résister à de telles effusions? Je lui disais «Je t'aime» à mon tour, machinalement, sans savoir ce que le mot recouvrait. Je le lui disais pour ne pas gâcher la fête, pour avoir la paix et qu'elle continue à me caresser, à me nourrir.

Je crois pourtant lui avoir été attaché dans la mesure où j'en suis capable. J'avais le sentiment qu'entre ses mains, je ne déclinerais jamais, qu'elle allait renflouer ma carcasse. J'étais un vieux garçon racorni qu'elle avait plongé dans un bain de jouvence. Et quand je m'effrayais des progrès trop rapides de ma dégradation, elle me promettait une chirurgie esthétique pour retailler dans ma face, retendre ma peau, planter sur mon crâne des cheveux neufs et vigoureux. Voyant mes moindres besoins assouvis avant que je les formule et de nouveaux désirs suscités par la prévenance de ma compagne, je regardais mon existence antérieure avec effroi. J'avais retrouvé avec Hélène un des bonheurs profonds de l'enfance : être manié, peloté, étrillé, devenir une marionnette entre les mains de qui vous aime. Et je tombais malade pour le simple plaisir de garder le lit, d'être soigné par cette douce infirmière dont j'étais l'unique souci.

La récompense du tricheur

Parfois je m'éveillais de ce bonheur trop facile et constatais à quel point je m'étais fourvoyé. D'abord je me méprise trop pour ne pas mépriser qui me choie. Et puis je n'avais pas changé d'un pouce : le vieil homme survivait en moi. Ainsi j'étais resté d'une avarice scrupuleuse. Hélène m'avait ouvert un compte dans une banque privée et me versait chaque mois une pension qui pourvoyait amplement à mes dépenses. Rien ne freinait ma ladrerie : non content d'économiser sou à sou et de la laisser payer en toutes occasions, je resquillais sur les pourboires laissés aux serveurs, aux portiers, les jugeant trop généreux. Si j'avais pu reprendre aux mendiants les centimes qu'elle leur abandonnait, je l'aurais fait. Je lui chipais aussi la menue monnaie dans ses poches, ramassais les pièces qu'elle égrenait derrière elle, sur les fauteuils, les tapis et parfois la soulageais d'un billet de cent ou deux cents francs. Je la plumais comme je plagiais : par petites sommes imperceptibles que je plaçais sur mon compte. Dissipatrice et prodigue, Hélène ne remarquait rien. Ces vilenies m'aidaient à survivre. Après tout, elle devait savoir à quoi s'attendre : pour un petit comme moi, respirer le grand air de l'opulence, sans précautions, c'était risquer le collapsus. Il est si facile d'être honnête quand on est nanti. Toutes les fées s'étaient penchées sur le berceau d'Hélène, toutes les marâtres sur le mien : elle ne s'était

77

jamais sentie de trop sur terre, sa place l'attendait de toute éternité. Que nous nous soyons croisés par hasard ne faisait qu'accroître la distance qui nous séparait. Endimanché de l'amour, j'usurpais un statut, une identité auxquels je n'avais pas droit. Hélène avait beau m'assassiner par ses éloges, je ne correspondrais jamais à cette merveille qu'elle pressentait en moi. Et surtout je restais son captif. Derrière ses tendres yeux se cachait une impitoyable geôlière qui me châtierait si je lui échappais. Je la détestais de me tenir de cette façon et me détestais plus encore d'être si heureux dans cette servitude dorée.

D'autant que j'enviais sa vigueur, sa capacité de résurrection infinie. Douze ans nous séparaient : presque un siècle. Je vous l'ai dit, dès l'âge de 20 ans, j'étais bon pour la casse. Je m'étonnais chaque matin d'être encore sur pied. Vivre, simplement vivre suffisait à épuiser toute mon énergie. A l'inverse Hélène se montrait aussi radieuse que j'étais saturnien. Par exemple, elle avait une faculté de dormir qui m'épatait. Alors que je souffrais d'insomnie, elle disparaissait dans le sommeil comme dans un coma et claquait la porte au monde. C'était une absence totale qu'aucun bruit ou lumière ne pouvaient ébranler : telle on la posait la veille, telle on la retrouvait huit ou neuf heures plus tard, reposée, dégageant la douce chaleur d'un bébé. J'allumais en pleine nuit pour percer ce mystère : je glissais mon doigt sur sa peau, caressais l'ourlet des lèvres, le duvet des joues, écoutais son souffle régulier. Quel est ton secret, lui demandais-je, pourquoi le temps n'a-t-il aucune prise sur toi ? J'aimais sa nudité potelée, sa peau crémeuse où les taches de rousseur étaient comme flocons d'avoine dans un bol de lait blanc. Il me semblait avoir charge d'âme, que cet ange m'avait été confié en dépôt. Mais au fond de moi un cri de colère éclatait, un cri énorme, terrible. J'entendais contre mes côtes les battements de son cœur, une pompe apte à fonctionner pour l'éternité, je voyais ses pommettes colorées d'une bouffée de vermillon, elle avait une adorable manière de rosir en dormant. Hélène, d'où tires-tu cette vitalité insolente, comment oses-tu être si calme à mes côtés, profiter de ce sommeil réparateur qui te fera neuve et belle demain ? Je me moquais de son argent, je ne convoitais que son dynamisme, sa santé. Il aurait suffi de si peu finalement pour que cette vie fabuleuse s'échappe d'elle : que je lui serre la gorge, l'étouffe sous un oreiller et son teint serait devenu plombé, ses yeux vitreux.

Par moments, toutefois, j'entrevoyais sur elle la faille du temps. Quand elle était lasse ou tendue, un tic particulier l'affectait : la moitié gauche de son visage se tordait comme du papier froissé, le coin de sa bouche s'étirait en contractions rapides vers l'oreille. La déformation durait à peine mais ne manquait pas de m'impressionner. J'aurais voulu la figer dans cette grimace pour toujours. Hélas, de ce spasme qui l'avait défigurée, elle renaissait, et m'écrasait à nouveau par sa symétrie, son éclat, son impitoyable jeunesse.

Hélène avait parié sur moi, elle avait tort car je ne pourrais jamais soutenir ses espérances. Elle me

79

poussa bientôt à commencer un deuxième roman. Depuis des mois j'étais paralysé. Elle me conseillait d'oublier le plagiat, de reprendre confiance dans mes facultés d'invention (« Emprunte si tu ne peux faire autrement mais émancipe-toi de tes emprunts, trouve tes propres mots dans les mots des autres, crée ta propre musique »). La belle affaire : j'étais anéanti par la masse des écrits parus avant moi. Quand je croyais inventer, je récitais, je n'étais qu'un buvard, les phrases qui naissaient sous ma plume me venaient des autres. Je m'y remis, encouragé par la promesse d'Hélène de revoir des pages, de les enrichir. En fait elle écrivait l'histoire à ma place. N'ayant aucune vanité, je me contentais le lendemain de recopier sa prose comme je m'étais approprié celle des autres. Je ne doutais pas que le roman achevé, je le signerais sans vergogne de mon nom.

C'est alors qu'Hélène eut un geste qui me bouleversa : elle fit acquérir en une semaine par des tiers et de façon anonyme quatre mille exemplaires de mon ouvrage précédent qu'elle entassa en piles dans les caves de son immeuble. Elle m'octroyait ainsi plus que des revenus : la possibilité d'entrer dans la liste des best-sellers, d'être un écrivain à succès. Ces ventes firent boule de neige et le public voulut acheter ce livre qui marchait déjà si bien. Mon éditeur, ému par ces chiffres, me proposa un à-valoir qui dépassait mes espérances. Hélène m'avait mis le pied à l'étrier dans un métier fondé avant tout sur l'opinion des autres à votre égard. Pour fêter la bonne nouvelle, elle me proposa d'aller skier en Suisse. Vous connaissez la suite.

La récompense du tricheur

Nous voici donc, après notre panne de voiture, arrivant dans cette ferme-chalet ensevelie sous la neige.

Je l'arrêtai d'un geste; depuis peu, une pâle clarté filtrait derrière le carreau. Tous les monstres de Notre-Dame qui grouillaient la nuit le long des flèches et des galeries s'étaient figés dans leur costume de granit. Plus bas, sur le parvis, les réverbères blanchissaient tels de minuscules fanions. Paris émergeait des ténèbres, une aube malade se levait, tirée par quelque machiniste fatigué qui allait une fois encore essayer de dresser au-dessus des toits un décor d'été. Il était presque cinq heures.

— Vous devez partir, je ne veux pas qu'on vous surprenne ici.

— Je vous en prie, laissez-moi continuer.

Mon visiteur haletait comme un marathonien arrêté dans sa course. Avec sa parure d'épouvantail, il était plus pitoyable que jamais. Comment avais-je pu le laisser entrer?

— Vous me raconterez la suite ce soir ou demain, si vous le voulez. Maintenant filez!

Je fouillai dans le placard, en extirpai une blouse blanche.

— Tenez, enfilez cela, vous pourrez déambuler dans les couloirs sans être remarqué.

Il prit le vêtement et, la tête baissée, siffla entre les dents.

— Vous ne saurez jamais la suite!

81

Les voleurs de beauté

Je refermai la porte derrière lui à double tour et m'allongeai la tête lourde. J'étais recrue de fatigue. Je pris mon baladeur et mis l'aria « Es ist vollbracht » (« Tout est consommé ») de la Passion selon saint Jean.

Je voulais me laver de cette première nuit, de ma nullité, de cette histoire idiote. Pauvre petit bonhomme, ton secret, c'est que tu es comme tout le monde. Je coulais dans le sommeil comme une pierre. Une heure plus tard, le bip retentit et un numéro s'afficha en cristaux liquides : j'étais requise aux urgences pour un cas de delirium tremens.

DEUXIÈME PARTIE

Le Fanoir

Ce matin du 14 août, un dimanche, je m'éveillai radieuse. J'avais à peine dormi deux heures chez moi, après mon retour de l'hôpital, je me sentais ragaillardie. Ferdinand m'avait appelée, sa voix, douce comme un lasso, m'avait mis du baume au cœur. Il pensait à moi, je lui manquais : ces simples mots avaient suffi à dissiper les ombres. Le temps était magnifique. Je m'habillai en hâte, allai nager jusqu'à épuisement à la piscine des Halles. J'habitais un studio dans le Sentier, rue Notre-Dame-de-Recouvrance. Avide de profiter de cette journée avant de me cloîtrer à nouveau, je marchai jusqu'au jardin du Luxembourg, mes affaires jetées en vrac dans un sac à dos. Les dimanches m'ont toujours fait peur : ce sont des jours convenus, usés d'avance, des jours d'occasion sans couleur ni tonalité particulières. Mais celui-là commençait bien. Je m'assis autour de la fontaine Médicis, à l'ombre des platanes. J'entendais jouir de la cascade qui rafraîchit l'atmosphère et de l'amitié d'un bon livre. J'avais besoin d'une parenthèse de

85

quiétude, pour affronter l'Hôtel-Dieu. J'avais délaissé *Louise Labé* et pris les *Mille et Une Nuits* que je me jurais de lire depuis longtemps, curieuse de voir ce qui justifiait son interdiction dans la plupart des pays arabes.

A peine assise, je fus assaillie par une nuée de dragueurs qui se relayèrent à mon chevet. Le dragueur est le cousin du mendiant, il répond comme lui au principe de l'espérance statistique : il s'attache aux nombres, jamais aux personnes. Sur dix femmes qu'il aborde, une au moins, il le sait, consentira à prendre un café avec lui. Et sur dix qui boiront en sa compagnie, ce serait bien le diable si une ou deux, de guerre lasse, n'acceptait d'aller plus loin. Il ne séduit pas, il harcèle, emporte la place à la fatigue.

Malgré mon humeur joyeuse, je fus sidérée ce matin-là par la platitude des propos, la bêtise des approches. Les importuns me récitaient leurs boniments sans y penser, tout en me déshabillant d'un coup d'œil. Ils étaient obséquieux, agressifs, ils ne savaient pas que courtiser est proche de courtoisie. Un seul trancha sur le lot, un frisé très jeune avec une grosse bouche.

— Vous savez, je n'aime pas du tout les brunes en général mais pour vous, je suis prêt à faire une exception.

Il hésitait, il rodait sa formule. Il était mignon. Je m'éclipsai avec un sourire (« Courage, vous y arriverez »). Je n'en veux jamais à un homme d'essayer de me plaire mais de ne pas y arriver. Ferdinand, lui, avait déployé un autre panache : au contraire de ces petits galants au souffle court, il m'avait entreprise

86

dans un café avec un culot fou, un aplomb renversant, désarmant mes préventions. Il ne disait rien d'exceptionnel mais avec un tel brio que l'ordinaire prenait dans sa bouche une allure extraordinaire. Il n'était jamais ennuyeux et possédait ce talent que j'ai toujours envié : élever les moindres incidents de son existence au rang d'une épopée. Au bout d'une heure, il m'avait énoncé son grand principe : éviter les trois calamités que sont le travail, la famille, le mariage.

Il nourrissait une passion, le théâtre, cultivait une ambition, réussir sur scène, et rien ne pourrait contrarier cette vocation. Il préférait une misère ardente sur les planches à un confort résigné dans un bureau ou une administration. J'admire les êtres qui savent où ils vont, moi qui avance au jour le jour et baptise mon indécision du nom trompeur de spontanéité. J'aimais aussi les parts d'ombre de Ferdinand, ce souci de maîtrise totale sur ses émotions qui laissait soupçonner quelque fêlure. Avec lui, il était interdit de raconter les choses dans leur littéralité, il fallait tout embellir ou tout noircir. Au-dessus de la prose du quotidien, il y avait la légende, la traîne majestueuse des événements. Le mensonge, disait-il, est la politesse que l'on doit aux autres pour ne pas les ennuyer. Conteur-né, il multipliait les anecdotes, déclamait des poèmes, récitait des tirades et je ne me lassais pas de l'écouter. Il me changeait de mes études de médecine ! La nuit, marcheur infatigable, il me faisait traverser Paris, offrait toute la ville à mon émerveillement. Il s'inventait des itinéraires complexes, mystérieux, connaissait des passages secrets, des cours cachées qu'il marquait d'un graffiti ou d'un signe cabalistique. Sans être beau, il avait du charme avec ses lèvres épaisses, ses longs cheveux noirs bouclés et ses yeux qui vous caressaient la peau et vous donnaient tout de suite envie de le toucher. Pour lui j'avais en quelques jours quitté mon ami de l'époque. Je me croyais prédestinée à le rencontrer : même son numéro de téléphone, je l'avais retenu aussitôt comme si je le savais de toute éternité. Au début je m'étais dit : ne te précipite pas, savoure cet homme, laisse-le croître en toi.

A rebours des amants contemporains qui font l'amour avant de s'être présentés, nous étions convenus de retarder ce moment inaugural. Je l'avais soumis à l'épreuve suivante : je m'abandonnerais à lui par étapes et contre un certain nombre d'histoires. A la première, il aurait le droit de me prendre la main, à la seconde de m'embrasser sur les joues, à la troisième de me caresser l'avant-bras et ainsi de suite. Bonne républicaine, j'avais découpé mon corps en une trentaine de « départements »; les territoires gagnés étaient cumulatifs mais en cas de panne d'inspiration ou de violation du traité, ils pouvaient être perdus, rétrocédés. Ferdinand était limité à une histoire par jour. Ce pacte de dénudation progressive dura un mois et demi : je valais donc quarante récits en comptant les pénalités et les zones brûlantes qui méritaient au moins deux narrations. Plusieurs fois, sous le coup de l'excitation, nous faillîmes tout compromettre. Sur le point de conclure, Ferdinand commit plusieurs fautes pour entourer ma capitulation du maximum de solennité. Il voyait probablement d'autres femmes à l'époque qui compensaient ses frustrations.

Une fois terminée cette période probatoire, ce fut une fête des sens. Ferdinand avait à son tour institué ce qu'il nommait notre chemin de croix : il me prenait plusieurs fois le soir en me raccompagnant chez moi, contre une porte cochère, sur un banc, sur le capot d'une voiture et pour finir dans l'ascenseur qui nous menait jusqu'à mon studio. A chaque station, j'étais supposée jouir. C'était notre calvaire à nous, un prodigieux faisceau de plaisirs inattendus. Ferdinand était un mystique du sexe. Il faisait l'amour comme d'autres leurs prières, chaque étreinte devait être une expérience, nous ouvrir à des sensations nouvelles. Il vouait un culte bizarre à la volupté féminine et croyait entendre dans les cris d'une femme les harmonies du Paradis. L'orgasme constituait à ses yeux ce moment d'impudeur et de merveille à travers quoi une créature finie tentait jusqu'au paroxysme d'abolir ses limites et d'échapper au temps. Le lit devenait l'espace d'une transfiguration, l'autel sur lequel l'être aimé se transformait en déité, sainte ou furie. Je profitais de cette idolâtrie sans savoir si elle s'adressait à moi ou à la féminité en général.

Avec lui je chavirais en permanence et ne savait comment lui exprimer ma reconnaissance de m'emmener si loin. Il m'avait révélé une part inconnue de moi-même : certains de nos enlacements étaient si poignants que j'entrais à ses côtés en état de transe, secouée par des envies de rire, de pleurer comme si j'avais touché un peu de la Terre promise. Il pouvait faire de moi ce qu'il voulait. Il m'emmenait par exemple dans des hôtels de passe sordides, me jetait, couverte de bijoux et de bracelets, sur la

moquette sale, jonchée de mégots et d'étuis de préservatifs et là, au milieu du rire des filles, des aboiements
des videurs, nous nous prenions, tirant de la laideur
des lieux, de la certitude d'être épiés par les clients
une excitation peu commune. Il baisait avec ferveur
mes mains blanches, mes ongles vernissés qui lui lacé-
raient la peau, l'ouvraient d'une simple incision. Il me
suppliait de l'écorcher vif, de le maltraiter, bénissait
ces blessures qui témoignaient de notre fougue, de
notre enthousiasme. Un jour, il m'avait partagée avec
une jeune prostituée, une Marocaine de vingt ans, originaire de la même région que ma grand-mère paternelle. Cette coïncidence m'avait gênée. Pour la première fois, j'avais embrassé une femme sur la bouche
puis elle m'avait embrassée sur le sexe. Ça n'avait pas
été désagréable mais je n'avais pas voulu recommencer, du moins pas dans ces conditions. Je ne désirais
nullement connaître l'amour « en copropriété » selon
l'expression d'une amie. Le spectacle de Ferdinand
suçant cette jolie fille avec une application stupéfiante
m'avait donné un haut-le-cœur. Il était en quête permanente d'émotions érotiques, la vie n'était pour lui
qu'une suite d'occasions à saisir. Il parlait le langage
d'autrefois, il prétendait refuser la comédie bour-
geoise de l'amour. Il me disait : je vais t'apprendre en
quelques mois à bannir la jalousie, l'instinct de pos-
session. Je n'étais pas une bonne élève, je restais enracinée dans mes archaïsmes. Il rajoutait souvent : tu es
une aubaine pour un homme. Enfin une femme qui
ne demandera jamais de lui faire un enfant. Bénie soit
ta stérilité. Avec Ferdinand la chair était en révolution mais la part du cœur et de l'esprit restait congrue.

Le Fanoir

A vrai dire cet amant hors du commun n'était qu'une machine. Cela commençait par une merveilleuse symphonie et se terminait comme un match de boxe : par un K.O. total. Il entendait m'épuiser sous lui. Pour le dire crûment, il baisait avec un sérieux effrayant, se croyait à tout instant dans un roman de Sade ou de Bataille. Bataille justement : il m'avait emmenée à Vézelay où ce dernier est enterré, avait tenu à me faire l'amour en plein hiver, sous la bruine, sur sa tombe. Il fallait que je hurle, que je défaille. J'avais dû ensuite compisser généreusement la pierre en guise d'hommage. Je compris cette nuit-là ce qui motivait Ferdinand : le snobisme. Il y a des snobs sexuels comme il y en a pour l'argent ou la mondanité. Il voulait à tout prix passer pour un pervers, cela le posait socialement. Avec lui notre chambre était vite devenue un entrepôt de sex-shop : menottes, cravache, verge de caoutchouc, cagoules de cuir, tout un bric-à-brac de films X que j'endossais avec réserve. Pour refuser l'amour conventionnel, nous avions embrassé les conventions du libertinage.

Il me portait à un degré d'incandescence qui rendait toute parole superflue. Juchée sur cette frontière je languissais : cette fièvre luxurieuse aurait dû être complétée par une fièvre des mots. Je ne suis pas bégueule mais j'aime qu'au terme d'une vigoureuse mêlée sensuelle, la conversation et la tendresse prennent le relais du plaisir. Hélas il ne goûtait ni les câlins ni les raffinements spirituels et je ne retrouvais rien en lui du virtuose qui m'avait éblouie au début. Il est des coups de foudre physiques qui ne sont pas suivis de complicités d'esprit. Malheur aux amants qui n'ont que le sexe pour se connaître !

Il tenta une dernière fois de m'enrôler sous sa bannière et loua un jour en vacances une jeune esclave à mon intention. C'était une robuste fille de Toulouse, étudiante en lettres dans le civil, dont la chair débordait de son harnachement de cuir. Elle devait m'obéir en tout, je la frappais d'un fouet au moindre écart. J'étais moi-même à demi nue, chaussée de hauts talons. Je ne savais quoi lui ordonner sinon de faire la vaisselle et de préparer les repas. Elle prit les initiatives, se glissa sous la table tandis que nous mangions, s'arrêta devant ma chaise et là, écartant mon slip, darda sa langue en moi. Ferdinand lui donnait de grandes tapes sur le postérieur en la traitant de tous les noms. Ce fut plus fort que moi, j'éclatai de rire. Il se fâcha, je m'excusai, promis d'être sévère, impitoyable. Mais toutes les caresses de cette amante en location ne purent m'émouvoir. Pour finir elle et moi sympathisâmes. Elle avait du mal à rentrer dans le jeu surtout avec les clients trop laids, trop brutaux. Mais les séances étaient bien payées et certaines se révélaient des expériences incroyables.

Vers 4 heures, je quittai lentement le Luxembourg, ressassant dans ma tête une de ces rengaines qui griffent la mélancolie à l'endroit sensible. J'aime ce jardin qui se prend pour un parc et reste intime jusque dans ses grands espaces. J'aime plus encore Paris d'un amour qui confine au chauvinisme, je l'aime parce que je n'y suis pas née et l'ai choisie comme mon pays d'élection. Je n'ai jamais souffert d'être écartelée entre le Maroc et la Belgique, j'appartiens à la patrie que je me suis donnée. Et Paris est une autre nation à l'intérieur de la France. Je me sentais tout emplie d'une énergie heureuse, résolue à me montrer digne de ma tâche, à braver la confusion mentale. J'avais exagéré les difficultés de cette garde à l'Hôtel-Dieu, après tout l'un des meilleurs hôpitaux de la capitale. Sur les bancs, des donzelles aux longues jambes, aux seins bourgeonnants s'essayaient au flirt avec des gandins boutonneux et quand ils s'embrassaient, on eût dit qu'ils gobaient des huîtres. Soudain alors que j'observais deux petites filles recueillant une mésange à l'aile cassée, une évidence me frappa : Ferdinand mentait. Il n'était si gentil que pour m'apaiser. Il me rassurait : donc il cachait quelque chose. A cette simple idée, tout commença à tourner. Je dus m'asseoir, je suais plus que la chaleur ne l'exigeait. Je trempai un mouchoir rien qu'à essuyer mon visage et mes bras. Cet homme fuyait comme l'eau entre les doigts. Les premiers mois, j'avais endossé le rôle d'une Messaline insatiable afin de correspondre à son fantasme, au stéréotype de la femme libérée, j'avais simulé le mépris du couple et des engagements durables. Maintenant j'étais fatiguée. Je n'étais pas faite pour la libre circulation des corps, voilà la vérité et tant pis si elle n'était pas glorieuse. Ma perversion à moi, c'est d'être pathologiquement normale. Après tout le pire des clichés en amour n'est-il pas de vouloir échapper aux clichés ?

Quand Ferdinand comprit que je ne serais jamais une partenaire de débauche mais une amoureuse, banalement et terriblement classique, je crus qu'il allait me quitter. Je priais pour qu'il le fasse. Mais non, il changea de stratégie : cavaleur sentimental, il s'était attaché à moi. A l'en croire, il n'avait eu avant

de me rencontrer que des figurantes, des brouillons.
Du jour au lendemain, il devint un fanatique du serment, il évoqua même un mariage, une adoption
éventuelle. Lui, le pourfendeur de la monogamie se
portait soudain volontaire pour la famille et le foyer !
C'était louche. M'aimait-il vraiment ou voulait-il garder le meilleur des deux mondes, les privilèges de ma
présence plus la liberté du célibataire ? Le pire pour
un menteur, c'est qu'il puisse dire une fois la vérité et
qu'on la laisse passer. Il avait réussi à brouiller son
image et à m'embrouiller. Comme il promettait, il
oubliait et promettait à nouveau. Ses revirements
m'éreintaient. Alors, oscillant entre l'adoration et la
perquisition, je me mis à espionner cet être chéri que
je rêvais d'épingler à la façon d'un insecte dans une
vitrine. Je fouillais son linge, ses sous-vêtements, faisais ses poches. S'il s'était absenté, je me précipitais
dès l'entrée sur ses mains, cherchant sur la pulpe du
médius ou de l'index cette odeur de femme dont je le
savais friand. Je me détestais de tomber si bas, je n'en
persistais pas moins.

J'épluchais surtout son agenda : c'était un champ
inépuisable, un grimoire qui ne demandait pas moins
de patience et de sagacité qu'un manuscrit des
anciens temps. Ce qui était couché là était susceptible
d'un double ou triple sens, le moindre rendez-vous
abritait peut-être une passade, une rivale possible.
Les indices s'accumulaient, adresses mystérieuses, illi-
sibles comme à dessein, noms griffonnés à la hâte
dans un faux désordre, prénoms indifféremment mas-
culins ou féminins, initiales suivies d'un numéro de
téléphone dont les chiffres, mal écrits, pouvaient se

lire de deux ou trois manières. *Et pour chacun de ces griffonnages, l'alibi d'un agent, d'un directeur de théâtre à contacter de toute urgence. Il y avait un ordre dans ce chaos et mon but était de le mettre en évidence, armée d'une loupe et d'un crayon. Il m'arrivait de composer un numéro, d'écouter la voix, de raccrocher, honteuse. Si la voix était féminine, j'essayais d'en déduire une silhouette, un âge, un caractère. Une intonation suave était pour moi une marque de sensualité et je me souhaitais des correspondantes teigneuses. Avec Ferdinand, j'apprenais la connivence obscure du lyrisme et du mensonge. Depuis qu'il me parlait les deux langues de l'attachement fatal et de l'indépendance capricieuse, qu'il disait d'un même souffle « Je t'aime » et « J'aime ma liberté », je perdais pied, ne savais plus s'il penchait pour la constance ou la disponibilité. Déjà mon propre père avait érigé la dissimulation en règle cardinale. Dans la ville de Liège où nous vivions, il avait pendant quinze ans entretenu une seconde épouse, lui avait fait deux enfants, évoluant d'un ménage à l'autre, distants seulement de quelques kilomètres, de chaque côté de la Meuse. Je ne connaissais pas mes deux demi-sœurs qui ont presque mon âge et dont l'une, aux dires d'un témoin, serait mon sosie. J'étais passée de la duplicité paternelle à la fausseté amoureuse : dans les deux cas, j'étais suspendue aux fictions d'un homme et ne savais plus quel crédit accorder aux mots.*

Les voleurs de beauté

Insouciante au Luxembourg, j'arrivai à l'hôpital d'humeur massacrante, rabrouai les infirmières, rembarrai un interne rougissant, refusai d'être flanquée d'un journaliste qui enquêtait sur l'univers des gardes. Le début de soirée fut une catastrophe, j'attaquais les patients avec agressivité, les écoutais à peine, multipliais les anxiolytiques. Avec cette chaleur tous les esprits faibles disjonctaient, à commencer par le mien. Certains faisaient preuve d'une loquacité cauchemardesque. Je répétais deux fois les mêmes questions, posais les diagnostics les plus hasardeux. Toute considération de carrière m'avait abandonnée. Ces noyés qui s'accrochaient à moi, j'avais envie de leur dire : coulez, disparaissez une bonne fois pour toutes. Et surtout bouclez-la, bande de rebuts geignards ! Le malheur ratiocine ! Un homme plutôt bien mis et qui consultait pour état crépusculaire s'accusait sans fin de tous les maux. A l'en croire les revers de sa famille venaient de lui, ceux de la France aussi. Il répétait : c'est ma faute, je suis une ordure. Je le coupai : et le trou dans la couche d'ozone, c'est vous aussi ? Il me considéra stupéfait : comment avez-vous deviné ?

Ma colère qui cherchait un dérivatif se porta enfin sur Benjamin Tholon. Le psychiatre de jour à son sujet m'avait laissé une note : croyez-vous qu'une telle hospitalisation s'imposait ? A quoi rime cette mascarade ? Mon croquemitaine impatientait le personnel et les autres malades, qui l'avaient surnommé Fantomas, l'insultaient, le défiaient de se montrer au grand jour. Deux d'entre eux avaient tenté de lui arracher son déguisement. En voulant se cacher, il s'exposait. J'entrais dans sa chambre – on l'avait mis seul dans une pièce pour éviter tout incident – et l'avertis qu'on allait le jeter dehors s'il continuait à provoquer du désordre. Je l'apostrophais avec tout le dégoût dont j'étais capable mais sous l'effet de l'émotion, les mots se disloquaient dans ma bouche. Avant de sortir, je parvins à lâcher :

– Ne vous avisez pas de venir ce soir me débiter vos sornettes. Je vous ferais vider par des aides-soignants en disant que vous m'avez attaquée.

Il haussa les épaules.

– Tant pis pour vous !

Cette réponse accrut mon désarroi. Je n'en pouvais plus, je devais échapper à ces légions de cafards. Je ne comprenais pas pourquoi cet homme, avec sa trogne de carnaval, me mettait dans cet état, renforçait mes doutes. Comme s'il voyait clair en moi parce qu'il était masqué et dévoilait d'un coup l'usurpatrice que je suis. Je m'effondrais en pleurant dans les toilettes, j'étais claquée. Je n'allais pas consacrer une minute de plus à la lie de la terre. Il fallait que je me calme, sinon c'est moi qui consulterais un jour. Ferdinand, je t'en prie, sors-moi de ce cloaque. Le miracle de l'amour, c'est de resserrer le monde autour d'un être qui vous enchante, l'horreur de l'amour, c'est de resserrer le monde autour d'un être qui vous enchaîne. Ferdinand parti avait, tel le joueur de flûte, dépeuplé la capitale, me laissant seule face à une foule d'aliénés. Dix minutes durant, j'écoutai la cantate Actus

97

tragicus, *essayant de tirer de la sombre gravité des chœurs une leçon de force et d'endurance. C'est mon grand-père maternel qui m'avait initiée à la mathématique heureuse de Bach. En retour je lui chantais des bribes de mélodies arabo-andalouses. Il me demandait de traduire, je ne savais pas. Anticlérical forcené, il n'aimait du christianisme que les offices en latin de même qu'il adorait, sans les comprendre, les prières à la mosquée. Plus tard, quand mes parents se sépareront et que mon père ira s'installer à Anvers avec son autre femme, c'est lui encore qui me conseillera de fuir l'hystérie familiale, d'aller tenter ma chance en France. Quitter sa famille, c'est quitter une querelle imposée pour en fonder une autre librement assumée. Je devais à tout prix me ressaisir, je n'avais pas le droit de flancher. Après tout j'avais moi-même choisi ce métier. Je devais m'habituer à travailler sur la plaie vive de la société, là où ça gémit, où ça hurle, je devais écouter avec bienveillance les dépositions de ces hommes et de ces femmes qui venaient à moi. Je sortis des toilettes, repentante et calmée et allai m'excuser auprès des infirmières de ma brusquerie. Elles savaient ce qu'est un chagrin d'amour et je fus dépitée d'avoir été percée à jour.*

J'en étais là de mes bonnes résolutions, les heures s'étiraient avec une lenteur effroyable quand la ville, par un hasard romanesque dont elle est coutumière, m'offrit un petit bonheur qui racheta l'ensemble de la nuit. Un clochard effroyablement puant, la tête ensanglantée par un cul de bouteille qu'on lui avait cassé sur le crâne, hurlait : « J'ai des fins de mois difficiles surtout les trente derniers jours. » Une jeune aide-soignante, originaire de Pondichéry, à la peau d'un brun-ocre, me dit en le désignant :

— *Pour surmonter ma répulsion, j'imagine toujours qu'un de ces blessés est un dieu déguisé en mendiant et qui vient m'éprouver.*

J'étais debout à méditer cette phrase lorsque arrivèrent à l'accueil une vieille dame conduite par une demoiselle d'à peine huit ans, aux yeux noirs, à la longue natte torsadée dans le dos. Avec sa jupette plissée et ses sandales vernies, on eût dit qu'elle sortait directement d'un goûter d'anniversaire. Elle semblait impressionnée. Le contraste entre cette fée et les gueules hirsutes qui peuplaient la salle d'attente me saisit. L'enfant s'adressa directement à moi :

— *Bonjour, je suis venue en taxi avec ma grand-mère. Je crois qu'elle est malade.*

— *Quelle sorte de maladie ?*

— *Écoutez-la et vous comprendrez.*

La petite prit un air navré. J'allais vers l'auguste parente vêtue d'un tailleur strict malgré la chaleur et munie d'une valise légère. Elle offrait tous les signes extérieurs de la bonne éducation mais traînait un peu les pieds. Après quelques mots, dans un bureau, elle me confia sous le sceau du secret que les Allemands étaient aux portes de Paris et s'infiltraient déguisés en travailleurs émigrés. Elle était venue se réfugier en lieu sûr.

— *Expliquez-lui que la guerre est finie*, coupa la petite fille.

— *Je sais de quoi je parle, n'écoutez pas la gosse. Dans quelques heures la croix gammée flottera sur l'Hôtel de Ville avec le croissant musulman et vous regretterez de ne pas m'avoir prise au sérieux.*

— Mamie, on est à la fin du xxᵉ siècle, les Allemands sont nos alliés. Il n'y a plus de guerre, réveille-toi !

Égarée dans son labyrinthe, la vieille femme ne reconnaissait plus personne, confondait les noms et les époques, dialoguait au téléphone avec des amis décédés. Entre deux propositions, elle laissait retomber sa tête, inerte, comme assommée par ce qu'elle énonçait. Sa raison était une flamme vacillante qui s'éteignait sans cesse. La petite s'appelait Aïda. Sa mère était égyptienne, de confession copte, ses parents, morts dans le naufrage d'un bateau de plaisance, l'avaient ainsi nommée par passion pour Verdi. Elle vivait seule avec sa grand-mère dans un appartement du Marais. Qu'elle ait eu l'idée d'amener cette dernière aux urgences alors qu'elle avait à peine huit ans m'étonna.

— Ou bien Mamie a raison et il faut en avertir quelqu'un ; ou elle a tort et il faut le lui dire.

Après consultation avec d'autres médecins, je fis hospitaliser la vieille dame et pris Aïda sous ma protection, au moins pour la nuit. J'aimais ce prénom arabe qui la rapprochait de moi. Elle se révéla vite une friponne, rieuse et effrontée. Elle aurait pu s'asseoir sagement, attendre qu'on s'occupe d'elle. Mais non ! Elle se mit à gambader tel un jeune chien. Pleine de vitalité, elle virevoltait entre nous, usait de sa taille comme d'un passeport pour braver les interdits, toucher les armes des policiers, tutoyer les malades. Ceux-ci regardaient, ébahis, cette boule d'énergie défier leur invalidité. Elle se moquait de leur gêne, de leur claudication, les reluquait sur leurs civières (« *Tu as quoi toi ? – Une occlusion intestinale. Pouah !* »). *L'irruption de cette démone dans ce décor déprimant eut sur moi un effet tonique. Elle me vengeait de mes déboires. Elle aurait pu tout casser, arracher les perfusions, renverser les flacons, j'aurais applaudi.*

Elle était ravissante avec ses longs cils qui palpitaient comme des papillons, et une fossette au menton, une encoche dans laquelle les hommes plus tard allaient passer mille fois leurs lèvres et leurs doigts. Elle avait emporté dans une trousse d'écolier des jeux électroniques, un mikado et une boîte de dominos. Avec cet abandon des enfants qui vous portent une confiance immédiate, elle me pria de jouer. Dès qu'elle était sur le point de perdre, elle arrêtait ou renversait tout. Si je faisais mine de me fâcher, elle grimpait sur mes genoux, me câlinait. Elle adorait les clowneries, fredonnait des airs d'opéra en commettant des fausses notes qui la faisaient rire aux larmes. Elle gonflait ses joues, ouvrait grand le gosier, se frappait la poitrine, ânonnait dans un sabir franco-italien. Pitre à l'excès, elle cabotinait, gazouillait, sa tresse volait derrière elle en une flèche de lumière noire. Elle égaya le service jusqu'après minuit, personne n'osa la faire taire. Pour finir, après un ultime trémolo, elle s'endormit la tête sur les bras.

Ne pouvant la renvoyer chez elle où je la savais seule, je la portai dans ma chambre et la mis au lit. Ce n'était pas réglementaire mais il y avait aux urgences, au-dessus des règlements, la loi du cœur et de la compassion. Elle se réveilla un instant, se livra à un étrange simulacre : elle tordit sa jolie frimousse, se

101

voûta et balbutia d'une voix chevrotante (« Attention, les Allemands sont là, je vous aurai averti »). Elle me guetta du coin de l'œil, attendant ma réaction à ce sacrilège puis se jeta sur le lit et se rendormit aussitôt. J'essuyai son front avec un gant frais – j'étais bouleversée – et l'embrassai sur la joue. Je redescendis en proie à des sentiments contradictoires, laissant peu à peu l'incident se décanter en moi. Dans l'escalier je croisai l'aumônier à tête de puceau qui grimpait quatre à quatre : Dieu l'avait convoqué sur son bip. Vite une extrême-onction, un autre contrat à fourguer pour l'éternité !

A peine revenue au rez-de-chaussée dans le hall au plafond bas, l'angoisse me reprit. Alors je sus ce dont j'avais besoin, c'était une conviction aussi têtue qu'infondée et qui balaya toute objection : aller quémander auprès de Benjamin T. ma ration de mots. Il me semblait que je boirais à ses lèvres un peu de réconfort, que le récit de son chaos m'aiderait à clarifier le mien. Il me hérissait sans que je puisse me passer de lui. Qu'il invente ou dise vrai importait peu pourvu que son histoire soit une arme de beau calibre pointée sur Ferdinand et donc un baume posé sur mes blessures. Alors que trois heures auparavant, je l'avais presque insulté, je me rendis en médecine générale et entrai dans sa chambre sans frapper. Il feignait de dormir. Je le secouai. Il ouvrit les yeux, ne parut pas le moins du monde étonné.

— Je savais que vous viendriez ! Nous sommes liés par un pacte, ne l'oubliez pas !

Son aplomb me sidéra.

— Je ne sais ce qui nous lie mais dans un but théra-

peutique je pense que vous avez besoin d'achever votre confession.

Il prit une mine contrite.

— Vous m'avez rudoyé tout à l'heure et même blessé.

Je ravalai ma salive.

— C'est bon, j'en suis désolée, j'étais nerveuse.

— L'essentiel c'est que vous soyez captivée par mes propos, n'est-ce pas ?

Encore une fois, il inversait les situations, s'arrangeait pour que je sois celle qui demande.

— Retrouvez-moi au rez-de-chaussée devant la cafétéria. Je vais avertir la surveillante que vous sollicitez un entretien.

Je tournai les talons, claquai la porte sans attendre de réponse. J'étais certaine que le filou rappliquerait, trop content d'avoir à nouveau éveillé mon intérêt. Je m'en voulais de prêter crédit à ses affabulations. Je n'arrivais pas à garder cette fameuse neutralité requise du médecin. J'agissais ce soir-là dans l'inconscience la plus totale.

Une demi-heure plus tard, chaussé de pantoufles trouées, Benjamin Tholon vint me rejoindre. Il avait essuyé de nouveaux sarcasmes en sortant de la part de deux brancardiers. Il s'assit près de moi sur un banc dans une galerie à claire-voie qui mène aux caves, face à la permanence syndicale et au bar fermé à cette heure. La lune éclairait presque le jardin a giorno, le découpait en grands pans liquides et bleutés. On se serait cru au théâtre dans la loge du souffleur. A Paris l'été la nuit ne tombe pas, c'est le jour qui fonce, avant de renaître éclatant à l'aube. Peu de monde passait à cette heure, hormis des maîtres-chiens et leurs bêtes en quête de sans-abri à déloger. L'haleine de la ville nous effleurait sans nous rafraîchir. Moustiques et moucherons bourdonnaient, venaient se griller au bulbe des ampoules. Des portes claquaient au loin, un vacarme de soufflerie montait des sous-sols et nous sentions sous nos semelles les trépidations de l'hôpital pareilles aux frémissements d'une bête couchée à nos pieds. Une pierre pesait sur ma poitrine. Je distinguais à peine Benjamin et l'extrême clarté de la lune renforçait les ténèbres dans cette galerie, suscitait tout un ballet d'ombres et de fantasmagories. Il reprit exactement là où il avait arrêté la veille, les mains posées sur les genoux. Du cœur de Paris montait une rumeur confuse, le bourdon de Notre-Dame scandait chaque quart d'heure. Nous étions deux spectres dialoguant dans le noir. Et le récit de cet inconnu me semblait l'émanation même de l'obscurité comme si elle me chuchotait à l'oreille.

UN HAVRE DANS LA TOURMENTE

Nous arrivons donc au chalet, cette fois éclairé de mille feux, pareil à un vaisseau échoué en altitude. Vous imaginez notre contentement après nos heures d'angoisse dans la voiture. Nous étions transis. La puissante carrure du bâtiment avec ses murs épais, son toit aux larges pans qui touchaient presque le sol m'en imposa. Raymond – c'était le nom de notre sauveur – prit d'autorité nos bagages. Quelque chose chez ce petit homme bougon et trapu m'intimidait. Il ouvrit une large porte, nous invita à le suivre. Aussitôt l'air chaud nous saisit comme si nous entrions dans le corps doux et moelleux d'un animal. Après un sas destiné à couper le froid, une seconde porte donnait sur un long vestibule aux murs ornés de massacres de cerfs et de sangliers. Une délicieuse odeur de cuisine nous parvint et je crus presque descendre à l'hôtel. Sur le côté un petit placard entrebâillé laissait voir chaussures fourrées, raquettes et bâtons de ski. Avant que nous ayons eu le temps de faire un pas, Raymond avait empoigné une sorte de balai de crin et tapait sur le bas de nos jambes et de nos anoraks pour en faire tomber la neige qui allait fondre sur un gros paillasson.

Il nous poussa ensuite dans un salon où brûlait un bon feu et nous avertit d'attendre le « Patron ». Nous n'aurions pas aimé que ce serviteur taciturne soit le propriétaire. La pièce, tapissée de livres, reliés et brochés, me rassura : des gens qui aiment lire ne peuvent être tout à fait mauvais. Partout l'odeur riche et apaisante du bois flattait l'odorat. Au-dessus de la cheminée était suspendu un tableau dit de vanités : trois têtes de mort peintes en surimpression d'un visage d'enfant, de jeune fille, de matrone. Des anges volaient au-dessus des crânes. Je m'attendais à un décor rustique. C'était d'un luxe insensé pour un endroit aussi reculé. La demeure accomplissait à merveille l'éternel pari de l'habitat en montagne : le maximum de confort dans le maximum d'adversité. Hélène déplora que le bas de son pantalon soit taché, remarque qui m'alla droit au cœur : chez elle le souci vestimentaire signifiait un retour à la normale. Elle me souriait, exténuée et à la voir caresser de la main la table, les fauteuils, les montants de la bibliothèque, je la sentais favorablement impressionnée par notre logis de fortune.

Enfin le maître de maison entra et nous salua avec une cordialité tonitruante.

— Bienvenue aux naufragés du froid !

Il se nommait Jérôme Steiner et détonnait lui aussi dans ce cadre. Je m'attendais à un misanthrope ; c'était l'être le plus urbain qui soit. Il représentait, exilé dans les hauteurs du Jura, une sorte de vestige pathétique des années 60. Il en affichait tous les signes extérieurs : gilet indien passé sur une chemise à col rond, pantalon de cuir et bottines, grosse bague à l'index droit. Il était de ces gens qui se sont arrêtés à une mode parce qu'elle correspond au moment où ils avaient le plus de succès. Grand, massif, je lui donnai dans les 55 ans. Son visage était lisse, presque sans rides à l'exception de deux poches sous les yeux dont la fine membrane semblait de papier. Il arborait une magnifique chevelure que je lui enviai sur-le-champ, brillante, argentée, qu'il lissait du plat de la main comme s'il s'émerveillait d'avoir là-haut une telle pilosité. Elle se répandait sur ses épaules à la manière d'une cascade pétrifiée. Il nous souriait, plein d'une décontraction un peu forcée.

— Nous faisons irruption dans votre intimité, nous vous envahissons.

— Sans me vanter, je crois que vous avez eu de la chance de nous rencontrer. Vous êtes ici dans la petite Sibérie, le lieu le plus froid de France où la température peut descendre jusqu'à moins quarante. L'endroit est désert à des kilomètres à la ronde. Il nous arrive de rester isolés pendant des jours à cause de la neige et même le facteur ne se risque pas dehors. On nous annonce un redoublement de la tempête pour les prochaines quarante-huit heures. Le téléphone est muet, les câbles ont rompu, c'est un miracle que nous ayons encore de l'électricité, elle peut sauter d'un moment à l'autre. Mais comment avez-vous fait pour vous égarer jusqu'ici?

Hélène lui dit en peu de mots notre mésaventure, le remercia pour son accueil, le complimenta pour sa maison.

M. Steiner avait cette mollesse de traits propre aux vieux beaux. Il laissait derrière lui un sillage discrètement parfumé; j'aurais juré qu'il se fardait à voir ce bronzage artificiel qui lui collait à la peau. Avec ses mains soignées, sa voix onctueuse, son échafaudage capillaire, il semblait un prélat mâtiné de flibustier. Après une heure de discussions à bâtons rompus, il nous invita à partager son repas. Bien sûr, Raymond nous avait préparé une chambre. Tout cela fut si soudain que nous n'eûmes pas le cœur de protester. Dans une pièce attenante, plus vaste, une table était dressée avec vaisselle en porcelaine et verres de cristal. Sur la desserte reposaient un plateau de fromages et une corbeille de fruits. Jamais nous n'aurions imaginé être régalés de la sorte et je bénis la Providence de nous avoir mis sur le chemin de gens aussi policés. Je ne voyais là que présages favorables. Raymond, à la fois chef et majordome, officiait, trottant autour de nous. Il nous servit d'abord une soupe aux pois, puis une poularde à la chair tendre et laiteuse accompagnée d'un gratin jurassien qui fondait sous la langue. C'était un festin que nous faisions ici et, tout fier de mon récent savoir gastronomique, j'appréciais en connaisseur. Un vin local, à l'arôme de noisette, accompagnait le dîner qui fut couronné par un soufflé au chocolat dont je repris trois fois. Hélène s'étonna de l'abondance des plats, de leur qualité et félicita le cuisinier.

— En vérité Raymond s'est surpassé en votre honneur. Vous avez de la chance là aussi : en prévision de la tempête, il est allé en ville ce matin s'approvisionner en fromages, légumes et viandes. Ici à 1 200 mètres d'altitude, l'hiver les marchés sont rares. Vous devez ce gueuleton à son dévouement.

Raymond composait avec son maître le duo le plus improbable qu'on s'attende à trouver dans ce coin de France. L'un était aussi racé que l'autre grossier. Avec ses yeux à fleur de tête, ses lèvres toujours un peu humides, l'homme de peine était d'une laideur irréfutable, presque fascinante à force d'évidence. Il semblait une argile pétrie de la main de quelque démiurge fatigué qui s'était endormi sur son œuvre. Mais la nature est souvent plus inventive dans les ratages que dans le succès ; il y avait de la vie chez cette créature toute de guingois qui inspirait simultanément répulsion et curiosité. Raymond promenait sur sa face un rictus perpétuel qu'on eût dit gravé à la naissance. Il voussoyait son patron qui le tutoyait, opinait à toutes ses affirmations, souriait à ses traits d'esprit, montrant alors de petites dents jaunes et irrégulières. Jérôme Steiner le laissait faire jusqu'au

108

moment où il lui commandait de cesser, ordre que l'autre s'empressait d'enfreindre. Manifestement, le ballet était réglé entre eux depuis de nombreuses années. Raymond constituait à lui seul une claque et une famille et l'on sentait M. Steiner gêné d'une coutume qu'il tolérait dans le huis clos d'une retraite mais qu'il eût préférée sans témoins. Tout petit qu'il fût, le domestique était un colosse et repartait en cuisine les bras chargés d'assiettes et de plats empilés sans rien renverser, trouvant encore le moyen de caler une bouteille vide sous l'aisselle. Je le regardais avec malaise évoluer autour de nous, plié en deux comme un serviteur de comédie et je rageais de ne savoir quoi penser de lui.

J'avais mangé avec un tel appétit, m'empiffrant sans retenue que je ne m'ennuyai qu'à la fin du dessert. Le dîner qui aurait dû me délier la langue me l'avait empâtée. J'avais avalé trop vite, je me sentais patraque et j'aurais aimé que ma maîtresse me masse le ventre et l'estomac pour m'aider à digérer. Je gigotais sur ma chaise, je n'avais rien à dire, je jouais les utilités. Hélène au contraire s'y entendait pour meubler la conversation et notre hôte, heureux d'avoir de la compagnie, ne lésinait pas sur les compliments. C'est à peine s'il me regardait, elle l'accaparait tout entier. Avocat, originaire de Paris qu'il exécrait, il ne retournait dans la capitale que pour des affaires exceptionnelles. Amateur de nature, il cultivait en altitude les joies du corps et de l'esprit, se purifiait – c'étaient ses termes – « des petitesses terrestres dans ce nid d'aigle ». Il vivait ici avec son épouse, professeur de philosophie, provisoirement absente et qui devait revenir d'un moment à l'autre de Lyon si l'état des routes le permettait.

A d'imperceptibles détails, je sentais Steiner soucieux de plaire à mon Hélène : il travaillait ses reparties, multipliait les descriptions piquantes. Hélène, bonne joueuse, s'esclaffait sans retenue. Pourtant, derrière les saillies de notre amphitryon, je remarquais de la tristesse. Chaque fois qu'Hélène riait, elle était alors au sommet de sa gloire, incarnait mieux qu'une autre cet alliage foudroyant de l'aisance et de la grâce, chaque fois donc Steiner s'assombrissait, grimaçait presque. Je le voyais désemparé, vaincu par le gouffre des années qui les séparaient. A un moment, il lui dit même :

— Pourquoi être venu provoquer chez lui un vieil homme qui s'est retranché du monde ?

J'en fus interloqué.

Hélène le relançait, l'aguichait, l'exhortait à se dévoiler.

— Vous avez vécu une époque extraordinaire, racontez-moi tout.

Steiner s'exécuta sans se faire prier : il avait été trotskiste en Mai 68, un accident dont il avait gardé un dégoût avéré de l'injustice. Il s'était tourné ensuite vers la contre-culture américaine, avait bourlingué en tous sens, parcouru le triangle sacré Goa, Ibiza, Bali. Il avait connu une réussite fulgurante sur la ruine de ces idéaux auxquels il repensait avec tendresse, projetant, nous dit-il, de refaire la route des Indes dans les conditions d'alors. Hélène s'extasiait.

— C'est passionnant, je suis vraiment née trente ans trop tard !

— Mais non, vous ne mesurez pas la chance de pouvoir découvrir le monde d'un œil neuf, de le réinventer en le voyant pour la première fois. La jeunesse aime les mirages et c'est elle qui a raison.

A ma stupéfaction, Hélène vouait au gauchisme un culte que je jugeais déraisonnable, surtout dans sa situation. J'ai toujours haï les défroqués de cette période : ils vous font honte de ne pas avoir partagé leurs illusions, honte encore de ne pas les avoir perdues. Aujourd'hui comme hier, ils ne visent qu'à conserver le pouvoir, à en priver les générations suivantes. J'avais tort de m'énerver : Steiner ne cherchait pas à se faire valoir. Il n'était qu'un nostalgique portant le deuil de ses triomphes passés. Il avouait facilement ses lacunes, ses regrets d'un air de dire : à votre tour ! Allons, nous étions entre gens de bonne compagnie, il n'y avait pas de quoi s'offusquer.

A la fin du repas, notre hôte, la face légèrement cuite par l'alcool et la chaleur, me posa en passant quelques questions sur ma vie mais d'un air tellement absent que j'écourtai les réponses de peur de le fatiguer. Il nous demanda comment nous nous étions connus, Hélène et moi. Je lui brodai une petite fable. Il sourit, eut un coup d'œil goguenard et nous dévisagea l'un après l'autre, trop longtemps comme s'il cherchait ce qui pouvait nous réunir. J'en fus heurté : me pensait-il indigne de sortir avec une femme comme elle ? Avait-il détecté en moi le gigolo ? Vexé, je me retirai en moi-même, les yeux me piquaient, je refrénais mal plusieurs bâillements. Mes compagnons continuaient à discourir sans trêve comme si les noms et les sujets abordés n'avaient pour but que de

111

répondre à une seule question : sommes-nous bien du même monde ? Hélène payait son repas en bavardant, elle s'épanchait avec une assurance qui me soufflait. Elle était royale, superbe, j'étais son vilain, le blanc-bec de service. Alors qu'elle parlait avec un débit assez nerveux, M. Steiner vrombissait tel un hanneton. Il causait lent et bas et j'avais le sentiment, étant un peu endormi, d'avoir laissé la radio allumée quelque part sans parvenir à localiser la source du bruissement. Avec les heures, son visage s'alourdissait, l'œil devenait terne, le cheveu se plaquait sur le crâne, ce n'était plus le condottiere un peu fanfaron du début de soirée mais un monsieur d'un certain âge qui faisait le coquet devant une donzelle.

Un peu plus tard, nous étions affalés dans de vastes fauteuils, le maître des lieux tisonnait un feu de bûches, monologuait tout en repoussant les braises rougeoyantes. Il était volumineux, j'imaginais qu'il devrait creuser une rigole dans le lit conjugal. Ses propos devenaient pâteux, je lui trouvais maintenant l'air d'un vieux sachem indien moulinant quelque rituel ésotérique devant l'âtre, indifférent au blizzard qui tourmentait la ferme. Ayant achevé de débarrasser la table et de nous servir des liqueurs, Hélène reprit trois fois du marc d'Arbois, Raymond vint s'asseoir aux pieds de Jérôme, un plateau sur les genoux et entreprit de manger un œuf à la coque avec de longues mouillettes beurrées. Le pauvre diable était repoussant mais si l'on s'amusait à lui trouver des équivalents animaux, il redevenait presque humain. Son sourire tout prêt, greffé sur sa bouche, il guettait l'ordre ou la parole de son maître qui le ramèneraient dans le monde des vivants. Il gardait en mangeant les paupières mi-closes à la manière d'un saurien, ne donnant pas l'impression d'écouter comme si l'épaisseur de son cuir ou la modestie de sa condition le rendaient inapte aux échanges ordinaires.

Il dévorait Hélène des yeux mais de biais. On eût dit qu'il avait peur de se brûler. Si, par hasard, elle posait son regard sur lui, son visage de rouge qu'il était à l'ordinaire virait à l'écarlate. Quand il eut fini d'éponger le jaune avec ses mouillettes, il mangeait proprement sans rien laisser baver, il racla les derniers morceaux de blanc, écrasa la coquille d'un coup leste de sa cuillère et la réduisit en poudre au fond du coquetier. Ensuite, insensiblement et sans gêne particulière, il abandonna sa tête contre le genou du Patron, à la manière d'un fidèle saint-bernard. Celui-ci tenta de l'écarter, il se maintint. C'était sa prérogative, il y avait droit. Dans leur thébaïde isolée, maître et valet, soudés l'un à l'autre, transcendaient leurs différences de statut. Ce tandem vieillot, retiré dans la chaleur douillette de la montagne, avait quelque chose de ridicule et de touchant. Je me demandai ce qu'en pensait l'épouse légitime.

Après un dernier verre, le Patron donna le signal du coucher et nous souhaita une bonne nuit. Il promit de faire remorquer notre voiture dès demain et de quérir un garagiste si nécessaire. Nous étions un peu gris dans cet état bienheureux entre fatigue et ivresse. Le petit larbin nous conduisit à notre chambre par un dédale où nous nous serions perdus sans son aide. De multiples portes, aux motifs floraux et animaliers, ponctuaient les couloirs. Nous logions au premier étage –, la ferme comptait deux niveaux –, dans une belle pièce toute en bois blond avec un lit-alcôve dissimulé par des rideaux. Les oreillers étaient de fin duvet et les taies brodées. Deux bouilloires placées sous les édredons gonflés comme des ventres avaient déjà réchauffé les draps. Des chaussons fourrés, une petite et une grande paire, étaient posés au sol. Hélène fut ravie de l'attention et se demanda comment ils avaient pu savoir approximativement notre taille. Les fenêtres à double vitrage étaient fermées par des volets munis de ferrures et un gros poêle de faïence bleue, alimenté au bois, dégageait une merveilleuse tiédeur. Quant à la salle de bains, c'était un bijou d'intimité avec sa baignoire encastrée, sa robinetterie chromée et un plancher ciré qui sentait bon l'encaustique. Ces gens savaient vivre. Même dans un grand hôtel, nous n'aurions pas une chambre d'une telle qualité.

Comme je l'appréhendais, Hélène était toute en émoi. Notre aventure, les galanteries sentencieuses de Steiner l'avaient émoustillée. A peine la porte refermée sur Raymond, elle vint se frotter contre moi, simulant une danse lascive, s'efforçant d'attraper mes lèvres. Je reculais devant ses avances, effrayé comme à l'habitude, me demandant pourquoi un être si délicat s'abaissait à de tels débordements. Elle me poussa sur le lit, m'allongea sur l'édredon.

— Hélène tu es folle, pas ici, on nous entendra !

Ce n'était pas le bon argument car la perspective d'être écoutée ou surprise par d'autres constituait cela même qui l'excitait.

Je tentai une diversion.

114

— Tu ne trouves pas que j'ai mauvaise mine, que j'ai vieilli ?

— Si, terriblement, je n'osais te le dire. Embrasse-moi vite que personne ne te prenne pour mon père.

Elle passa la main sur le devant de mon pantalon.

— Oh, je vois que Papy est encore impuissant.

C'était plus fort que moi : je repoussais de toute mon âme l'idée de l'accouplement mais mon corps, lui, donnait toujours son adhésion. Pour dompter mon érection, je convertissais mentalement les francs suisses en francs français et en dollars. Hélène avait une manière chair et une manière lait de faire l'amour, toute en griffes et déchirures dans un cas, onctueuse et lente dans l'autre. La frénésie l'emporta ce soir-là. Elle eut un orgasme long comme un sermon, se convulsa dans l'oreiller comme pour offrir en dédommagement son extase au vieux Casanova qui nous recevait. Si seulement le plaisir masculin n'était pas aussi visible, je l'aurais simulé pour mieux l'éviter. Contemplant ensuite les petites larmes de ma semence qui coulaient sur les cuisses d'Hélène, mes menstrues de lait blanc, ma force et ma jeunesse qui se répandaient en vain, j'eus un accès de colère. A cause d'elle, j'allais tomber en ruines !

A peine rassasiée, ma petite maîtresse, toute nue au milieu de la chambre surchauffée, se mit à ridiculiser nos hôtes. A l'insu de tous, elle avait enregistré le dîner sur son dictaphone et nous repassa la bande. Riant aux éclats, elle rejoua le repas : elle incarna chacun d'entre nous, fut tour à tour Steiner, « le pépère concupiscent » qui se tripotait sous la table en évoquant l'Orient, elle fut Raymond « le gnome, le fœtus boursouflé » cassant son œuf à coups de marteau, elle se moqua de moi, endormi et gavé, elle se moqua d'elle-même caquetante et flagorneuse. Elle faisait saillir son petit derrière posté en sentinelle en haut de ses jambes, tel un deuxième visage qui surveillait le monde de son œil unique, elle tricotait des entrechats, se livrait à des acrobaties outrées. Elle mit à cette parodie un sérieux qui me frappa et je riais, vaguement peiné toutefois par son ingratitude et sa duplicité. Après un ultime hoquet de gaieté, elle s'affala sur la couche.

— Quelle horreur de s'enfermer dans ce bled, en pleine cambrousse. Cette baraque est d'un surchargé : on dirait le croisement de la maison des sept nains et d'un bordel !

J'étais soufflé car j'avais trouvé le bâtiment très beau. Je ne pouvais donc faire confiance à mon propre goût ! Je n'avais rien appris ?

— Et ce Steiner, il est tellement daté, embaumé dans son passé ! Il n'y a rien de pire que ces vieux cons de 68.

J'allais protester mais Hélène s'endormit instantanément, ses jambes emmêlées aux miennes. Je lui passai une veste de pyjama, la recouvris de l'édredon, l'embrassai sur l'épaule. Le sourire qu'elle m'adressa dans son sommeil était d'une tendresse douce comme la rosée. Si seulement, elle pouvait ne plus me harceler de sa libido, tout serait parfait !

Au milieu de la nuit, je m'éveillai en sueur, le cœur battant, l'estomac torturé d'avoir trop bu et trop mangé. J'avais cru entendre une sonnette grelotter, un bruit de moteur, des portes qui claquaient. J'allumai sachant qu'Hélène continuerait à dormir à poings fermés. Sur l'oreiller j'avais laissé une poignée de cheveux que je comptai. Dans la salle de bains, je m'examinai dans un de ces miroirs grossissants qui font les pores de la peau à la taille d'un cratère et les poils de barbe longs comme des javelots. L'ampleur des dégâts était manifeste. J'étais jaune, avarié ; des cercles de peau morte sous-tendaient mes yeux, mes chairs s'amollissaient, une crevasse courait sur mon menton comme si le temps en personne m'avait lacéré d'une minuscule badine. Et la ride au coin de l'œil gauche était toujours là. Dire que je revenais de vacances ! Je basculais sur l'autre rive. L'âge me submergeait comme une insistante marée, me dépeçait millimètre par millimètre. J'aurais tellement voulu être assez lisse et poli pour que ce soient les miroirs qui se regardent en moi. Je me palpais pour me définir et endiguer la fuite de mes traits qui coulaient de partout. Je contemplais ébahi les progrès de la dégradation. J'avais 37 ans, j'étais fini !

DANS LE BLANC LINCEUL DE LA NEIGE

Le lendemain, nous fûmes réveillés par le raclement d'une pelle. Le soleil brillait. Vu de notre chambre le spectacle était féerique autant qu'accablant. La ferme noyée dans une forêt d'épicéas était adossée à une falaise, une table de pierre haute d'une bonne centaine de mètres. L'on distinguait au loin les cimes des Alpes qui délimitaient les murs de notre prison. Où qu'il se pose l'œil ne percevait que des variétés de blanc. Le gel donnait au paysage une sorte de pureté minérale, mettait des barbes de paillettes aux rameaux, un nez d'albâtre aux gouttières. Des doigts de glace brillaient aux branches des arbres tels des feux de Saint-Elme. La neige scintillait, la luminosité était aveuglante, on eût dit qu'on avait saupoudré la terre d'éclats de verre. Cet environnement idyllique m'effraya et je me réjouis d'arpenter bientôt le bitume parisien. Nous étions coupés du monde dans ce désert glacé, cerné de bois hostiles.

Aussi, passant à l'autre fenêtre, je me réjouis de voir Raymond qui, en tee-shirt, caleçon et chaussettes dans de gros godillots, nettoyait avec une éponge et un seau notre voiture qu'il avait remorquée aux premières heures du jour. Le spectacle de cette petite chose trapue et parfumée, astiquant notre carrosserie en faisant de la vapeur avec son haleine, m'amusa. Je l'avais mal jugé la veille ! Je m'habillai et descendis le remercier de son obligeance. Il semblait tout guilleret, m'annonça que le thermomètre était tombé à moins vingt durant la nuit. Un garagiste devait arriver d'un moment à l'autre. Notre coupé brillait sur la neige, nickelé et lustré comme un joyau, une sorte de fantaisie de riches citadins, légèrement déplacée dans ce décor. Mais sa présence me conforta. Qu'elle ne redémarre plus pour l'instant ne me souciait guère. Raymond qui, avec un grattoir, dégageait le pare-brise avait examiné le moteur et pensait qu'une pièce avait pu se rompre dans le choc. Le mécanicien réparerait cela tout de suite.

Ayant mis un pantalon, le domestique servit le petit déjeuner que nous prîmes seuls, sur une table basse, dans le salon. Une radio jouait quelque part France Gall ou Michel Polnareff, je n'entendais pas bien. Actif, diligent, Raymond emplissait la maison du bruit de son labeur. Tandis que nous buvions notre café, il nettoyait le plancher, époussetait les meubles, saturait la pièce d'une odeur de cire au miel. Peu après M. Steiner apparut, vêtu d'un jean délavé et de bottes en caoutchouc. Pas rasé, dépeigné, les épaules voûtées, il donnait le sentiment d'avoir tout comme moi passé une nuit épouvantable. Grand et raide, il ne savait que faire de sa carcasse quand il la dépliait et ses cheveux grisâtres qui pendaient lui faisaient un visage de gourou décati.

— Quoi, vous êtes là encore ?

L'être affable de la veille avait disparu, nous le dérangions ! Il avait hâte de nous mettre dehors. Hélène l'assura de notre départ imminent, sitôt la voiture remise en état.

— Profitez de l'accalmie, elle sera de courte durée.

Sans nous saluer, il nous planta pour faire une promenade en ski de fond. Je préférais cette brusquerie : au moins les choses étaient nettes. Il nous avait hébergés ; à nous de débarrasser le plancher.

Hélène s'était réveillée maussade, avec un fort mal de tête. Elle monta prendre une douche et Raymond tint à me faire visiter le chalet. De jour la bâtisse enfouie sous la neige avait un charme de maison de poupée ; on eût dit un animal blotti sous une couette et dont seuls les yeux dépassaient. Ancienne ferme d'alpage avec son grand toit à croupe, elle éveillait surtout des idées de refuge et de repos. Raymond, tout amabilité – autant le maître s'était renfrogné, autant le serviteur bougon s'était déridé –, me montra la cuisine, la buanderie, le grenier transformé en salle de loisirs, entrouvrit rapidement les chambres du patron et de la patronne – ils faisaient donc lits séparés –, me promena dans le garage, une ancienne grange pleine d'outils rutilants et bien rangés. Il désenfouit le lavoir dont le jet était figé dans une trompe de glace. Il s'identifiait au chalet au point de se l'approprier, de dire « notre résidence, notre retraite », détalait sur ses courtes pattes pour m'ouvrir les portes, allumer une pièce.

J'aurais admiré sans réticences si les réserves d'Hélène, hier au soir, n'avaient brouillé mon regard. Au lieu de trouver chaleureuse cette demeure, je chipotais. J'écoutais d'une oreille distraite les explications de mon guide sur l'huisserie des fenêtres, les moulures en bois de hêtre, la teinte vanillée des cloisons, le four à pain où l'on faisait fondre de la résine. S'il croyait m'attendrir avec ces gadgets rustiques, j'en avais été saturé dans mon enfance ! Il n'y eut dans cette exploration qu'un épisode étonnant et qui aurait dû m'alerter : alors que nous traversions la cuisine, Raymond m'avait montré du doigt un panneau encastré dans le mur du fond et que je n'avais pas remarqué.

— Là, c'est la cave, le cabinet particulier du Patron, m'avait-il dit en clignant de l'œil comme s'il évoquait une polissonnerie.

J'avisai à la droite du panneau une grosse clef bien en évidence. Je ne trouvais rien à répondre et oubliai cette phrase.

120

Peu après, le garagiste arriva sur un scooter des neiges, un homme en anorak et chemise, gras et négligé et j'admirai l'endurance des gens de la montagne qui sortent peu vêtus alors que la température indique plusieurs degrés au-dessous de zéro. Des poils noirs, frisés lui sortaient de son tricot de corps. Il fourragea tout de suite sous le capot de la voiture et leva à peine la tête qu'il avait fort rouge pour me saluer. Son pantalon, maculé de graisse, lui tombait sur le derrière. Ce laisser-aller me rassura : cela prouvait qu'il passait ses journées dans l'huile et le cambouis. Il me tardait de lever le camp : on annonçait de nouvelles précipitations pour l'après-midi. Par monosyllabes, l'homme qui s'essuyait fréquemment le nez du revers de la manche me confirma que les Ponts et Chaussées commençaient à dégager les routes et les techniciens à rétablir le téléphone. Je montai avertir Hélène et tout à ma fébrilité descendis déjà les bagages, les posant sous le porche de l'entrée.

Toutefois le temps passait et l'homme de l'art continuait à fouiller le moteur, à frotter ses mains à un torchon noir glissé dans sa poche. Toutes les dix minutes, il demandait à Hélène d'allumer le contact et d'enclencher une vitesse. La belle machine restait coite. Je ne connais rien aux voitures, je ne sais même pas débloquer un volant avec des clefs et nous pressions le garagiste de questions. Il répondait évasivement, suggérant tantôt la batterie à plat, tantôt l'allumage ou la direction. Sa lenteur m'exaspérait, parfois je me demandais s'il s'était endormi. Hélène redoutait surtout son incompétence. Plus d'une heure s'écoula encore, nous grelottions à faire ainsi le pied de grue.

Enfin il émergea du ventre de l'auto et me regardant pour la première fois en face, moi et non Hélène, il annonça entre autres choses que la roue droite était voilée, résultat probable de la collision avec la congère et qu'il fallait changer l'axe. Il ne disposait pas d'une telle pièce dans son garage, il devrait la commander à Pontarlier, Dole ou Besançon où se trouvaient les concessionnaires de cette marque. Malheureusement, à cause de la circulation difficile et du téléphone toujours coupé, il ne pourrait recevoir l'axe manquant avant demain matin au plus tôt à condition que les intempéries ne s'aggravent pas et qu'il puisse contacter les fournisseurs avant le soir.

Cette avalanche de mauvaises nouvelles nous poignarda. Hélène alla jusqu'à soudoyer le garagiste, lui proposant une grosse somme d'argent s'il en avait terminé d'ici à la tombée de la nuit. Avec une moue d'agacement, il rétorqua qu'il ne pouvait inventer une pièce inexistante. « A l'impossible nul n'est tenu », conclut-il et ce dicton, dans sa bouche, pour déplacé qu'il fût, n'en prit que plus de sens. Toujours débraillé, il repartit sur son scooter.

Alors commença une longue, une interminable attente. Hélène, furieuse de ne pas avoir pris son portable – elle voulait en vacances couper les ponts avec Paris –, retourna défaite dans la chambre non sans avoir décroché tous les téléphones pour constater qu'il n'y avait pas de tonalité. Elle me répéta combien elle détestait cette ferme et s'y sentait mal à l'aise. Je mis cette opinion excessive sur le compte de la fatigue. Je n'eus pas le cœur de remonter les bagages, espérant encore que nous filerions bientôt. A l'heure du déjeuner, Jérôme Steiner revint de sa course de ski ; j'avais aperçu au loin sa haute silhouette glissant sur la neige à longues enjambées alternatives.

— Encore là ! Vous aimez tellement le Jura que vous ne pouvez plus le quitter !

Cette fois, il se montrait carrément désagréable. Il était si grand, laissant toujours flotter son regard au-dessus de vous, qu'on aurait souhaité avoir une tête de plus pour bien le fixer dans les yeux. Il alla droit au coupé, prit place sur le siège du conducteur, mit le contact, passa la première et intima l'ordre à Raymond de pousser. L'espoir revint quelques minutes et je priai le ciel que la volonté et la rage réussissent là où le savoir-faire avait échoué. Steiner jurait, cognait sur le volant, houspillait son domestique, et j'étais médusé par la métamorphose de ce gentilhomme en charretier.

De guerre lasse, le moteur n'ayant daigné émettre que des hoquets, il sortit hagard, lança un coup de pied dans la roue avant et, sans même me voir, aboya sur Raymond que la voiture devrait être réparée, quoi qu'il en coûte, d'ici à ce soir. Le petit chenapan cavalait derrière lui, s'essoufflant à le suivre, essayant de lui expliquer la situation. Steiner disparut dans la maison, claquant les portes les unes après les autres. Je frémis à l'idée que notre retour dépendait des seules ressources du factotum. Celui-ci avait promis de m'emmener au garage, distant d'une dizaine de kilomètres, mais vers une heure de l'après-midi le temps changea brusquement. Un vent du nord-est ramena de lourds nuages, la neige tomba à nouveau, plus drue que jamais, rendant toute course en voiture hasardeuse.

Raymond, qui semblait m'avoir pris en affection, me proposa de jouer aux cartes près de la cheminée.

— Z'inquiétez pas pour le Patron. Il a ses humeurs, ça passera !

Dès qu'il cessait de parler ou de réfléchir, le coquin retrouvait un air de demeuré avec son visage luisant et son éternel sourire. Les réprimandes de son maître me l'avaient presque rendu sympathique. Je lui expliquais posément qui nous étions, Hélène et moi, un couple parfaitement assorti, égaré par hasard dans cette contrée et qu'il convenait de rendre au plus vite à sa vraie vie, l'élégance, l'urbanité, la culture. Il hochait la tête, répétait : « Oui, M'sieur, on fera notre possible » et je n'étais jamais sûr de l'avoir convaincu. Entre deux distributions, je levais machinalement les yeux, admirant la danse des flocons dans le jour finissant. Pour la première fois, je trouvais une certaine grâce à la neige qui tombe en apesanteur au contraire de la pluie qui obéit platement à la loi de la chute des corps. Par moments une rafale de vent criblait les fenêtres, les cristaux crépitaient sur les vitres, s'amoncelaient au coin des croisées. Les sapins s'agitaient, chahutés par une main invisible et je n'aurais pas été étonné de voir cette armée d'arbres marcher sur nous et nous engloutir. Mais la ferme, solidement enracinée, ne bougeait ni ne gémissait. Tapis, coussins, boiseries esquissaient le tendre complot du bien-être contre les éléments déchaînés. Seule la grande horloge à gaine au bout du vestibule me rappelait mon enfance avec son carillon mélancolique et me fichait le cafard.

Alors que nous entamions la dixième partie, un

klaxon retentit, une porte de voiture claqua et Francesca Spazzo-Steiner, l'épouse du maître, fit son entrée. Elle avait quitté Lyon cinq heures plus tôt et avait failli ne jamais arriver à cause de la tempête. C'était une grande femme forte, d'origine lombarde, aux yeux froids qui changea tout de suite l'atmosphère de la maison. J'éprouvai à son égard une méfiance immédiate : elle vous regardait sans vous voir, parlait peu, asséchait toute conversation où qu'elle aille. Avec son nez droit et fin, ses hautes pommettes, sa chevelure châtain on eût dit que la jeunesse venait de la quitter, il y a un instant, laissant sur elle une empreinte d'une chaude lumière qui contrastait avec sa figure pincée. Elle était dans ce moment ténu qui sépare l'épanouissement de la flétrissure.

Un détail m'étonna dans son visage : la peau de ses paupières, abondante, s'accumulait au bord des cils, tel un store roulé en haut d'une fenêtre. On se demandait si elle les descendait le soir pour dormir. Elle me salua à peine, donna quelques ordres brefs à Raymond, partit se changer dans sa chambre. Devant elle le valet prit tout de suite sa figure pateline, servile. Il interrompit le jeu et, la prunelle anxieuse, courut à ses affaires. Je ne comprenais pas bien ce qui pouvait lier cette beauté d'automne au nain rabougri et au vieil hippy libidineux. Décidément nous n'étions plus les bienvenus dans cette maison !

La nuit vint d'un coup, assombrissant mon humeur, et je montai me réfugier auprès d'Hélène. Debout à la fenêtre, les jambes nues, un long pull lui descendant à mi-cuisse, elle pleurait regardant la neige ensevelir peu à peu notre coupé. Elle répétait « Je veux partir,

125

je veux partir ». Je lui certifiai qu'il s'agissait d'une déveine exceptionnelle, que dès demain, une fois la pièce reçue, nous pourrions regagner Paris. Mais elle doutait des aptitudes du garagiste et flairait une attrape dans le comportement de nos hôtes.

— Tu as tort, ils n'ont qu'une envie, c'est de nous mettre dehors. J'ai croisé la femme de Steiner tout à l'heure, elle a été aimable comme une porte de prison. A mon avis, ils se mordent les doigts de nous avoir accueillis.

Je n'arrivais pas à convaincre Hélène, sa méfiance déteignait sur moi.

— J'ai un sentiment bizarre vis-à-vis de cette ferme ; elle n'est pas habitée, je dirais plutôt qu'elle est occupée. Tout est trop propre, trop neuf, trop restauré.

Elle se déshabilla, se coucha, me pria de venir la réchauffer, de lui faire un câlin et nous nous tînmes longtemps enlacés, en proie à la même incertitude. Elle essaya ensuite de lire un de ces affreux polars dont elle se délectait, histoires de tueurs sadiques, de psychopathes dont elle me contait les exploits avec une candeur perverse, mais le livre lui tomba des mains. L'horreur en film ou en fiction est le luxe des gens protégés. Vers 7 heures, elle me pria d'aller lui chercher du thé.

J'approchais de la cuisine où je pensais trouver Raymond quand me parvinrent les échos d'une furieuse querelle. Le couple et leur homme de peine se disputaient à notre propos. Je restai en arrêt au milieu de l'escalier. De ce que je captais, il ressortait que la femme voulait nous garder par simple huma-

nité et Steiner nous chasser malgré le froid. J'étais
sidéré et n'y comprenais plus rien : l'hôte si prévenant
de la veille nous expulsait, l'épouse revêche nous
défendait. Elle rabroua Raymond qui tentait de
concilier les points de vue et au ton de sa voix, il
n'était pas difficile de deviner qui commandait ici.
Elle apostrophait ses hommes de belle manière et ils
n'étaient pas trop de deux pour lui résister. Que
n'avons-nous alors pris les jambes à notre cou !

Ne désirant pas en entendre plus, je remontai
penaud, vers Hélène, sans oser lui mentionner
l'incident. Je mentis, soutins qu'il n'y avait plus de thé
en cuisine. Un peu plus tard, Raymond, le front soucieux, frappa à la porte et nous porta deux plateaux
où fumait une bonne soupe avec à côté une assiette
de fromages de la région et des fruits. Le Maître et la
Patronne, fatigués, dînaient dans leur chambre. Je
faillis lui dire que nous les embarrassions, que nous
étions désolés. Une fois encore, il nous certifia que le
téléphone serait rétabli demain, la voiture réparée et
qu'au pire, ils appelleraient un taxi de Pontarlier pour
nous rapatrier sur Paris. Hélène, rassérénée, avala
quelques cuillères, grignota une tranche de comté que
je terminai de bon appétit. Elle s'endormit. Je feuille-
tai des revues de décoration qui traînaient là, regret-
tant l'absence de télévision qui m'aurait raccordé au
monde. Mentalement je faisais le compte de toutes les
séries que j'avais ratées et que j'allais rattraper au
retour. Quel bonheur !

Mais au milieu de la nuit, Hélène me réveilla, fié-
vreuse.

— Benjamin, j'ai un désagréable pressentiment. Je
veux que nous quittions cet endroit.

J'étais ahuri, ensommeillé.

— Avec ce froid, tu es folle ! C'est un coup à attraper la mort. De plus c'est d'une grossièreté crasse.

— Je me fous d'être grossière. Steiner l'a bien été lui ce matin. Ils rêvent de nous voir partis, nous allons exaucer leurs vœux ! D'ailleurs Mme Steiner n'est même pas venue me dire bonjour !

J'eus beau la raisonner, rien n'y fit. Elle consentit seulement – il n'était que 4 heures et demie – à attendre un peu pour s'enfuir. Elle montrait un air désespéré que je ne lui avais jamais vu. Elle rassembla l'essentiel de nos affaires dans un sac, s'habilla et m'exhorta à faire de même. Elle abandonnait tout, voiture, valise, vêtements, pour interposer entre la ferme et nous une distance suffisante. La frayeur l'avait métamorphosée.

— Quelque chose ne tourne pas rond ici, répétait-elle. Si nous restons, il va nous arriver malheur.

A 6 heures et quart, les poches emplies de provisions de bouche prélevées pour l'essentiel sur le plateau de la veille, nous laissâmes la maison sur la pointe des pieds. L'escalier grinçait horriblement, le bois travaillait, soupirait ; par miracle personne ne nous entendit. Le gros heurtoir de métal doré luisait sur la face interne de la porte d'entrée. Erreur ou ironie, on l'avait placé à l'intérieur de la maison comme s'il fallait frapper pour sortir et non l'inverse. Nous déverrouillâmes la serrure sans bruit, les clefs heureusement étaient dessus. Raymond avait oublié d'éteindre la lumière du porche. J'avais honte de détaler comme un voleur sans un mot d'excuse ou d'explication.

128

Le froid nous coupa la respiration, nous fit pleurer. Dans l'obscurité, les bois se détachaient en un bloc sombre, frémissant. La neige crissait sous les pieds. Il faisait encore nuit noire, nous n'y voyions goutte et nous nous repérions de façon approximative. Le rythme imposé par Hélène nous réchauffa : elle bondissait telle une détenue échappée de centrale, sa forme physique, entretenue par des années de sport, la mettait loin devant moi. Au bout d'une centaine de mètres, elle se retourna vers la ferme, fit un bras d'honneur et cria :

— Salut les Ducon, allez vous faire foutre !

Nous atteignîmes une voie départementale, la route sur laquelle nous roulions le premier soir, et bifurquâmes sur la droite, après avoir nettoyé un panneau qui indiquait le village de S. à trois kilomètres. Hélène avait pris soin d'emmener un briquet. Elle semblait revigorée, elle était redevenue celle que j'admirais, une femme forte, prompte à l'action et aux décisions. Le manteau neigeux enveloppait la nature dans une cuirasse, le jour allait se lever d'un moment à l'autre. Que n'aurais-je donné pour sentir sous mes pieds le pavé de Paris, respirer de bonnes vapeurs d'essence, être piétiné par des goujats ?

Je palpais dans ma poche les épais billets de banque suisses, j'en avais subtilisé un certain nombre à Hélène, éprouvais leur consistance craquante, leur richesse quasi tangible. Je me sens toujours plus fort

129

avec de grosses coupures sur moi. Mais dans notre débandade, elles ne nous étaient d'aucun secours. Elles appartiendraient au premier qui nous sortirait d'ici. Chaque craquement ou chuintement insolite me faisait sursauter, esquissait un possible danger. Je redoutais de voir surgir des fourrés un renard, des sangliers ou ces bandes de chiens errants qui à la campagne ont remplacé les loups et sont la terreur des promeneurs.

Nous progressions avec peine, une douleur me vrillait la jambe gauche, m'obligeait à boitiller. L'absence de traces de pneus ou de chenilles sur la route n'était pas de bon augure. Nous enfoncions dans la neige fraîche jusqu'aux talons. Les lanières du sac me coupaient l'épaule, c'était moi qui le portais, bien entendu. Je soufflais dans le col de mon anorak pour me réchauffer le menton, essuyais les larmes qui coulaient de mes yeux. De part et d'autre de la départementale la couche de neige s'élevait en vagues, en dépressions et je ne me serais pas risqué un instant dessus de peur d'être englouti. Hélène marchait moins qu'elle ne galopait, fuyant un danger qu'on aurait pu croire mortel et je peinais pour tenir son rythme. Nous étions déterminés à arrêter la première voiture qui passerait, à nous jeter sous ses roues. Nous arrivâmes en vue du village de S., une sorte de lieu-dit de quelques dizaines de maisons, au moment où la nuit s'éclaircissait. Pas une cheminée ne fumait, pas une lumière ne filtrait derrière les volets clos. Les bâtisses restaient cadenassées sur leurs secrets. D'énormes pics pendaient des toits, de véritables harpons qui auraient tué n'importe quel imprudent. Des plaques de glace tissaient sur les façades comme des amas de glaire solidifiée où se lisaient en transparence les cicatrices de la pierre. Le silence était écrasant et malgré une odeur composite de lait et de fumier, il n'y avait pas âme qui vive dans ces parages.

Les habitants étaient peut-être tous partis. Je n'apercevais ni vélos ni motos ni voitures garées dans les cours. Nous appelâmes les mains en porte-voix, je me revis deux jours plus tôt, criant à perdre haleine devant le chalet des Steiner. Hélène, les yeux creusés, contemplait le site avec inquiétude.

— Viens, ne restons pas là, je n'aime pas cette atmosphère.

Elle reprit sa marche, presque en courant. Comme nous sortions du hameau, la matinée se levait, dégageant une perspective lugubre. L'étau de l'hiver avait tué toute vie et je ne connais rien de plus déprimant qu'un paysage de montagne aux premières heures du jour en cette saison. Le ciel s'était écrasé sur la terre, englouti par la neige qui avait effacé les couleurs et l'on ne pouvait imaginer que, sous cette carapace glacée, il y avait eu une fois de la végétation, des pousses, des rivières. Et toujours la forêt immense, impénétrable, non pas une cathédrale de troncs harmonieusement répartis mais une foule de géants serrés de part et d'autre de la route, prêts à occuper le moindre espace vide pour l'asphyxier, nous ramenant à cette époque où l'Europe était couverte de bois et truffée de bêtes sauvages. D'imperceptibles grondements montaient des arbres, s'amplifiaient en vibrations impérieuses. Stupidement je les voyais comme des émanations de Steiner, je les imaginais nous fouettant de leurs branches pour nous châtier. Nous cheminions tels des parias, au pied de ces masto-dontes dont la cime se noyait dans la brume. Je hais le sapin, taciturne gardien de l'altitude.

Sans crier gare, Hélène s'effondra sur un monticule qui bordait la chaussée. Elle n'en pouvait plus, elle fondit en larmes pour la deuxième fois en moins de vingt-quatre heures. Je la pris dans mes bras, tentai de la relever.

— J'ai tellement peur, Benjamin, tellement peur.

Qu'elle l'avoue ainsi, elle que rien ne tourmentait, me terrifia. Je la raisonnai : nous sommes en France, un pays de dimensions réduites, au climat tempéré, dans une région de grand passage, provisoirement paralysée par la rigueur du climat. Des milliers de touristes la fréquentent, le réseau routier y est excellent. Nous allions croiser un engin de salage ou de déneigement. Il était impensable que l'État laisse une voie de cette importance bloquée toute une jour-née. Je détestais Hélène de se montrer vulnérable d'autant que je sentais moi aussi planer une menace. Des bandes d'oiseaux noirs comme le deuil nous sur-volaient en coassant. Des bribes de géographie, rete-nues de l'école, me revenaient sur la désertification rurale. Nous avions peut-être quitté le siècle, victimes d'un maléfice, perdus dans un monde qui n'était recensé nulle part sur les atlas ou les cartes.

La route serpentait en un ruban blafard dans le demi-jour désolé de février. Une guérite posée en haut d'un virage tel un morceau de sucre au bord d'une soucoupe nous rendit un instant de l'espoir. C'était un abri de bus abandonné où nous macérâmes quelque trente minutes dans le froid et l'humidité. Des bourrasques de vent faisaient trembler ses parois. J'étais si las que je m'assoupis à même le banc de béton glacé. Hélène me suppliait de rester éveillé, je piquais du nez. Elle me tira de ce refuge, m'obligea à me remettre debout. J'étais un bloc de plomb que deux jambes trop graciles essayaient de traîner. Je ne sentais plus l'extrémité de mes doigts. J'étais un urbain, moi, un délicat, pas un bûcheron ou un randonneur aux mollets épais. Quelle folie de décamper aux aurores au lieu de rester chaudement au lit en attendant le retour du garagiste. Nous allions disparaître dans le blanc. Même l'affreuse bouille de Raymond m'était plus sympathique que ce pays perdu.

Je maudis ma compagne : tous nos malheurs depuis deux jours étaient dus à ses initiatives. Cette femme était en train de me porter la poisse. Notre errance désormais se poursuivait sans but : aux carrefours, nous tirions au sort pour prendre à droite ou à gauche. Cela faisait trois heures que nous crapahutions au hasard sans rencontrer personne, nous avions dévoré les quelques provisions emportées. Mes chaussures que je croyais étanches étaient détrempées. Le bagage me brisait les reins, je ne sais ce qui me retenait de le jeter. Tout se coalisait pour nous nuire et maintenant, comble de malchance, le brouillard montait du sol, nous empêchant de distinguer au-delà de quelques mètres. La houle figée de la neige avait saisi la campagne, l'avait paralysée comme sous l'effet d'un charme. Des roches pointues affleuraient ici ou là en d'affreux chicots. L'épuisement avait dissous ma frayeur.

Nous étions engagés dans un chemin bordé de hautes corniches de poudre blanche que le vent avait soufflée et fouettée. Dans une déchirure de la brume, il me sembla discerner un toit. Je fixai intensément ce point : une faible lumière clignotait, un panache de fumée sortait. Je ne m'étais pas trompé : enfin des êtres humains avec qui parler ! Cette seule perspective nous redonna du courage. Au fur et à mesure que l'horizon se dégageait et que nous approchions, cet édifice cerné d'épicéas et posté au-devant d'un escarpement rocheux me parut familier. Je l'avais déjà vu quelque part. Mais où ?...

Peu à peu l'atroce vérité se fit : nous étions revenus à la ferme des Steiner par un gigantesque détour. Notre ignorance du terrain, la faible luminosité, la topographie partout identique expliquaient cette cruelle méprise. Je ne voulais pas le croire, nous n'avions pas pu commettre une telle erreur. Quand elle reconnut à son tour le bâtiment, Hélène poussa un cri et fit demi-tour : la vue des flammes de l'enfer ne l'eût pas plus effarée. Cette fois je l'arrêtai : je l'avais suivie jusque-là, il n'était plus question d'aller à l'aventure. Mais rien ni personne n'auraient pu la convaincre. Elle manifestait une terreur irraisonnée vis-à-vis de cet endroit et de ses occupants. Elle préférait se séparer d'avec moi que de retourner là-bas.

Nous étions à nous chamailler, moi la tirant dans un sens, elle poussant dans un autre quand un bruit de moteur nous surprit. C'était le ronronnement d'une grosse cylindrée qui roulait à faible allure. En effet, les deux yeux blancs d'une voiture firent irruption, nous épinglant dans leurs faisceaux. Nous observions l'auto, interdits, sachant qu'elle ne pouvait appartenir qu'à un membre de la maisonnée. Elle stoppa à quelques mètres, actionna par deux fois ses feux de route. C'était un cabriolet gris métallisé, une suédoise probablement, toute crottée de terre et de glace. La saleté du pare-brise nous empêchait de voir le visage de l'occupant. La porte conducteur s'ouvrit, une femme emmitouflée dans un anorak à col de fourrure en sortit : Francesca l'épouse du maître. Mais une Francesca rayonnante, déployant un dynamisme étonnant. Plusieurs fois, par la suite je serai frappé par ses transformations : elle était l'être des résurrections successives, passait en un court laps de temps du terne au somptueux. Je me sentis suffoqué par le remords, je bafouillais :

— Madame, nous devons être à Paris ce soir. Nous avons préféré nous mettre en route de bon matin pour ne pas vous déranger.

Elle attendit pour répondre, savourant notre désarroi.

— A ce que je vois, vous avez beaucoup progressé ! Ce réveil aux aurores a été fort utile !

Débraillés comme nous l'étions, avec la goutte au nez, le bonnet de travers, les joues rouges, nous devions avoir l'air lamentables. Hélène se présenta. Mme Steiner la salua d'une légère inclination et la jaugea de la tête aux pieds. Ces mondanités semblaient beaucoup la divertir.

— Vous n'aviez qu'à dire que vous vouliez partir. Personne ne vous retient. S'il n'avait dépendu que de mon mari, vous auriez dormi dehors !

Mon embarras s'accrut, je m'empêtrais dans les excuses.

135

— Nous avons pris la décision cette nuit, nous n'avons pas osé vous réveiller.

— Ce scrupule vous honore. Vous avez raison : il est temps que vous quittiez le chalet. Le garagiste a reçu la pièce pour votre voiture. Raymond vous dira tout cela. Montez !

Elle nous ramena en marche arrière. Hélène à peine installée s'emberlificota à son tour dans les justifications, s'attirant un sec : « Ne vous fatiguez pas ! » Francesca manœuvrait habilement dans les méandres du chemin, le buste à demi tourné, clignant de ses lourdes paupières que je m'attendais toujours à voir pendre devant les orbites comme deux tentures. Une figure à qui sait la lire ouvre à l'observateur des perspectives insoupçonnées. Mais Francesca Steiner était un livre fermé. Elle avait l'abrupte raideur de ces parois sur lesquelles rien d'humain ne trouve à s'accrocher. Elle émettait de la distance et de l'antipathie comme un réfrigérateur fabrique des glaçons. Notre course en auto à ses côtés dura deux minutes à peine qui me parurent longues d'un siècle. Elle nous déposa devant la ferme comme des paquets de linge sale.

— La prochaine fois qu'un Bon Samaritain vous hébergera, ayez au moins la reconnaissance du ventre. Même à l'hôtel les clients avertissent de leur départ la veille.

Elle nous considéra avec répulsion, nous devions être à ses yeux moins que des limaces ou des chenilles. Je me sentis piquer un fard. Elle était vraiment odieuse.

— Un conseil encore. Évitez mon mari : il est hors de lui après votre indélicatesse.

Je ne saisirais que plus tard la fourberie de cette remarque. Elle démarra sans précipitation, nous laissant mortifiés. Nous retrouver devant cette bâtisse après l'avoir quittée le matin même en principe pour toujours nous serra le cœur. Nous étions deux vagabonds hirsutes, deux épaves qui s'étaient imposé une épreuve insensée et même la nouvelle de la réparation enfin possible ne suffit pas à nous réjouir. Raymond sortit de la maison, accourut vers nous, dans un short en cuir à la bavaroise. Revoir ce morpion ricanant nous révulsa et s'il n'avait fait que mentionner notre piteuse équipée, nous l'aurions, je crois, lynché.

Mais non, il confirma les dires de sa Patronne et nous invita à l'accompagner tout de suite au garage pour vérifier l'avancement des travaux. Il avait fait remorquer le véhicule jusque là-bas. Il devrait être en état de marche au plus tard vers 15 heures. Ces derniers arguments emportèrent notre défiance. De toutes les façons, nous n'étions plus en position de résister ou de raisonner. Mais avant toute chose le gnome tenait à garder un souvenir de nous. Il alla quérir un Polaroid, fit deux ou trois clichés et je revois l'air buté d'Hélène contrainte de poser pour un être qui l'exaspérait. Elle faisait pitié à voir, noyée dans son anorak, les lèvres bleues. Je la frictionnais dans le quatre-quatre pour la réchauffer.

Le trajet fut rapide : tous les lieux se confondaient dans ma vision. Des nuages bas drapaient les lignes de crête. La neige sur les champs s'était figée en une croûte ondulante pareille à de la meringue. Il était 11 heures, presque le milieu de cette folle journée dont je ne soupçonnais pas le dénouement. Après un coude, dans un autre village à semi désert, Raymond fit halte devant une bicoque sans caractère, ornée d'une vague enseigne délavée. Le capot ouvert comme une demoiselle qui soulève ses jupes, notre voiture, hissée sur un pont de graissage, au-dessus d'une fosse, se trouvait dans un atelier qui sentait l'huile de moteur et le caoutchouc brûlé. Sur les murs étaient épinglés un calendrier de pin-up en bikinis, une image du Bibendum Michelin et les tableaux des tarifs. De vieux pneus s'entassaient dans l'entrée, des taches noires et grasses maculaient le ciment, une multitude d'outils jonchaient le sol. Le propriétaire arriva de son pas traînant, toujours dépenaillé, vêtu d'un bleu de travail passé sur un tricot déchiré. Je me demandais à quand remontait sa dernière douche. Avec cette gouaille qui m'avait agacé dès le début, il confirma les dires de Raymond. La succursale de Dole lui avait bien livré, en début de matinée, une tige rigide articulée à ses deux extrémités qu'il brandit devant nous comme une pièce à conviction, un morceau de la vraie croix. Il devait démonter une partie du moteur pour atteindre les organes de transmission mais il en aurait fini en milieu d'après-midi ; d'ailleurs, un mécano allait venir l'assister. En ce moment même il rechargeait la batterie qui s'était vidée pendant la nuit. Il aurait pu nous dire n'importe quoi, nous démontrer qu'il fallait découper l'auto à la scie électrique pour la remettre d'aplomb que nous l'aurions gobé. Il tapait sur le capot, tel un jockey flattant l'encolure de sa bête, répétant « belle pièce, beau travail » sans que l'on sache s'il exprimait son admiration pour la maîtrise allemande ou sa crainte de détraquer une mécanique aussi précise. Raymond vibrionnait autour du groupe souscrivant de la tête aux dires du garagiste, heureux de nous prouver que les choses enfin s'arrangeaient.

LES PERSÉCUTIONS DU DÉSIR

Peu après nous étions de retour au chalet. Je redoutais de croiser M. Steiner et d'essuyer sa colère après tant de fausses sorties. L'épreuve nous fut épargnée : ni le maître ni son épouse ne se montrèrent. Raymond avait tout pris en main : il nous offrit un café, nous fit couler un bain chaud et nous remit dans notre chambre, le temps de récupérer le véhicule. Détail étrange : nos lits avaient été refaits avec les mêmes draps comme s'il était entendu que nous reviendrions. Mais nous avions vécu tant de choses grotesques depuis quelques heures, nous n'en étions plus à une anomalie près. Sous l'effet du redoux, la neige fondait, des morceaux de glace se détachaient des balcons et allaient se ficher en petits poignards dans la couche blanche. Comble d'attention : le gentil valet nous servit une rapide collation, tranche de jambon aux morilles, salade de mâche aux noix, fromage et fruits arrosés d'une bouteille de Château-Chalon, et tant de générosité nous apaisa. Nous étions fourbus : à l'épuisement physique s'ajoutait l'humiliation d'avoir échoué. Notre cavale avait tourné court et c'était miracle que nos hôtes ne nous en tiennent pas rigueur. A Paris, il faudrait leur envoyer des fleurs pour excuser notre conduite inqualifiable.

Raymond qui se déplaçait à la façon d'un chat et surgissait sans que nous l'entendions venir, avec une vélocité qui tenait de l'ubiquité, ce brave Raymond s'activait, montait, descendait les étages, allait nous chercher du sel, de l'eau chaude, un peu de beurre, du pain grillé comme si nous étions des invités de marque. Hélène, pour se venger de nos déboires, lui réclamait toujours un article manquant et le petit homme s'exécutait avec zèle sans marquer le moindre agacement. Elle tiendrait certainement à lui laisser un pourboire, c'étaient ses mœurs et je priais pour qu'elle ne force pas trop sur la générosité. Vers 14 heures 30, alors que nous terminions de déjeuner et sirotions un délicieux café, toute la ferme se mit en branle. Raymond vint nous prévenir que les Steiner et lui partaient faire des courses en ville. Ils ne seraient pas revenus avant le soir. Le garagiste ramènerait la voiture dans une heure ou deux. Il nous demanda de bien fermer la porte, de placer la clef sous le paillasson et nous souhaita bon voyage. Je l'aurais embrassé de gratitude.

En un instant les occupants du chalet s'étaient éclipsés et le quatre-quatre avait démarré dans un poudroiement de neige. Le cabriolet de Mme Steiner avait été mis au garage. Nous étions donc seuls, Hélène et moi. Elle décida de s'octroyer une petite sieste ; nous avions six heures de route jusqu'à Paris. Curieusement, je n'avais plus sommeil. L'absence des maîtres de maison me donnait une étrange impression de liberté. Je les trouvais singulièrement confiants de nous laisser chez eux, sans surveillance, après l'affront que nous leur avions infligé. Je descendis au rez-de-chaussée, les marches grinçaient, craquaient, cela n'avait plus d'importance. Le silence n'était rompu que par le tic-tac de la grande horloge et le gargouillement des canalisations. Je me sentais un enfant bravant des interdits qui ne portent pas à conséquence. J'admirais des bibelots en ivoire exposés sur les étagères du salon : ils devaient valoir une fortune. Je décrochai un téléphone, obtins la ligne mais quand je composais notre numéro à Paris, un disque enregistré m'indiqua qu'il était en dérangement. J'étais désœuvré ; ne cherchant rien de particulier, tout m'était surprise.

Par hasard, mes pas me portèrent au premier étage devant les portes des chambres de Jérôme et de Francesca situées à l'autre extrémité du chalet et dont Raymond m'avait donné la veille un bref aperçu. Je me faufilai sans bruit dans celle de Mme Steiner. Elle avait l'austérité d'une cellule de moine. Sur un grand bureau en bois clair étaient posés un traitement de texte, un paquet de fruits confits, un sachet de truffes en chocolat ainsi que les *Chemins qui ne mènent nulle part* de Martin Heidegger. Une boîte à musique ancienne égrenait une de ces chansons mièvres qui donnent envie de pleurer. J'allais ensuite chez Steiner. Le lit, quoique fait, était froissé, une paire de chaussures gisait, renversée. Au lieu de titres de philosophie qu'étudiait sa femme, je découvris, empilés par terre, des dizaines de magazines de mode des dernières années. Certaines pages étaient cochées ou annotées d'une croix. Dans un tiroir de commode ouvert, je tombai sur du courrier personnel, des factures, des notes d'électricité. Je m'allongeai un instant pour tester la résistance du matelas, reniflai l'oreiller sans retrouver l'odeur si particulière de M. Steiner. Machinalement je glissai dans ma poche quelques pièces de monnaie trouvées sous le tapis. Je retournai au salon, examinai une fois encore les rayonnages de livres, les volumes reliés dont j'aurais voulu m'emparer, notamment une édition illustrée des *Fables* de La Fontaine datée de 1875. J'en pris deux, essayai de combler le vide, les remis en place à regret.

Enfin j'allai à la cuisine, étonné comme hier par son immensité. Casseroles, poêles, cocottes reluisaient, une série de plats en cuivre était clouée au mur par ordre décroissant. Des robots ménagers à l'électronique discrète côtoyaient dans un mariage harmonieux des ustensiles plus classiques. Dans un panier d'osier reposaient sur un coussinet de paille une douzaine d'œufs ronds et lisses. Deux énormes frigidaires, de la taille d'une armoire, se faisaient face, bourdonnant comme de gros insectes blancs. Je les ouvris : ils regorgeaient de victuailles, de légumes frais. Le compartiment crèmes et laitages était comparable à celui d'un grand hôtel. Il y avait là de quoi tenir un siège. Ces gens étaient tenaillés par la peur de manquer. Je passai les mains sur les bosses et les entailles du plan de travail, un établi de bois strié de marques de hachoir et de couteau mais poncé, frotté comme s'il était neuf. Tout cela sentait bon la tradition, la vieille province française, l'excellence d'un domestique de haut niveau. J'allais quitter l'endroit, ayant ouvert tous les tiroirs et admiré la disposition et le brillant des couverts, le coloris des assiettes et des plats, quand le téléphone sonna. Je sursautai. Un combiné était installé au-dessus de la huche à pain. J'hésitai, la sonnerie retentit longtemps, une dizaine de fois puis cessa. Quand je décrochai, je n'entendis que la tonalité, il n'y avait plus personne au bout du fil. C'est alors que mon regard tomba sur le panneau de bois fermé à clef dont Raymond m'avait dit qu'il ouvrait sur le domaine réservé du Patron.

Je fus piqué au jeu. Mon exploration jusqu'à maintenant ne m'avait rien révélé. Après tout, nous étions seuls, personne ne saurait jamais ce que j'avais fait. Je pris la clef suspendue au crochet, l'engageai dans la serrure. Le panneau pivota sur ses gonds en grinçant. Une bouffée d'air renfermé m'assaillit. J'allumai l'interrupteur : un escalier taillé dans la pierre s'enfonçait sous terre après un minuscule palier. Les marches, inégales, m'obligeaient à me tenir à la rambarde de peur de glisser. J'arrivais dans une cave aux revêtements de béton, en fait une suite d'étroites pièces de part et d'autre d'un corridor central. Posées en tas, des caisses regorgeaient de vieux vêtements, de chaussures usagées, de piles de journaux. Plus loin, un établi de menuiserie voisinait avec des pots de peinture et des meubles en voie de restauration. D'autres réduits munis de thermostats abritaient des dizaines de bouteilles classées selon le cru et l'année. Au bout du couloir dans une salle plus haute de plafond, trônait la chaufferie, un gros intestin couvert de manettes, de cadrans et d'où s'échappaient tuyaux et ramifications. Je m'étonnais de l'énormité de la cuve. Ses parois tremblaient, haletaient presque comme si elle digérait. Une légère sueur perlait sur le métal. A chaque bouton correspondait le nom d'une pièce écrite à la main sur une étiquette.

C'était donc ça le jardin secret du Patron ? Un vulgaire débarras. Raymond m'avait joué un bon tour. J'étais déçu et serais remonté sur-le-champ si je n'avais aperçu, au-delà de la chaudière, comme une lueur diffuse au ras du sol. Tout le fond de la cave servait à stocker du bois. Mais cette petite lumière perçait à travers un fagot de branchages posé seul au pied du mur. Je ne sais pourquoi, elle m'intrigua ; y avait-il donc une autre pièce derrière celle-ci ? Par une hardiesse qui m'étonne encore, je dégageai les branchages, tombai sur un tissu en laine poussiéreuse qui recouvrait une surface de métal avec une poignée au milieu. Je tournai celle-ci à droite et à gauche, elle résistait. Le froid, l'humidité l'avaient probablement soudée dans la gâche. Je m'escrimai sur le loquet, l'agitai en tous sens, secouai la porte qui céda enfin.

Le décor changea radicalement. Devant moi s'étendait un petit passage en pente douce à peine éclairé et qui se perdait dans l'obscurité. Les parois taillées dans la roche dégageaient une senteur d'eau terreuse. Je fis quelques pas avec précaution, des gouttes glacées me tombèrent sur le crâne. Un rouleau de câbles courait à hauteur d'homme et aboutissait à un disjoncteur. Il m'était impossible de discerner jusqu'où s'enfonçait cette galerie étayée de rondins à peine équarris et qui saillaient comme des veines de la pierre. Des tonnes de matières minérales pesaient sur ma tête. J'en avais déjà trop vu, ma place n'était pas ici.

Je m'apprêtais à retourner sur mes pas quand du plus profond du silence monta une sorte de râle étouffé qui venait de très loin. Peut-être l'écho d'une cascade, une convulsion de la chaudière ? Je me

figeai, n'entendant que des froissements, des bourdonnements. Le souterrain émettait une multitude de
bruits. J'allais repartir, le même gémissement mêlé
cette fois d'un minuscule sanglot traversa l'épaisseur
du tunnel. C'était ténu mais parfaitement distinct. Je
n'avais pas rêvé. J'en eus la chair de poule. J'inspirai
profondément, fis demi-tour, heurtai le panneau de
métal qui alla cogner contre le mur, ébranlant tout le
linteau et la maçonnerie. Je m'apprêtais à enjamber le
fagot de bois quand une voix murmura près de ma
tempe :

— Vous êtes perdu ?

Ce fut comme un coup de feu tiré à bout portant. Je
fis un bond de côté.

— Oh, je vous ai fait peur ? Je suis désolé !

Jérôme Steiner à demi visible dans la pénombre se
tenait sur ma gauche. Je reçus son haleine en pleine
figure. Je ne distinguais pas ses yeux, j'avais juste la
certitude que ses orbites noires me fusillaient sur
place. Je voulus parler, m'expliquer, j'aspirais l'air à la
façon d'un noyé, aucun son ne sortit. Il m'attrapa
l'oreille, me fit mettre genou en terre.

— Francesca avait donc raison, Benjamin ! Vous
n'êtes qu'un fouille-merde !

J'essayai de lever la tête : le visage du maître cour-
roucé flottait au-dessus de moi. Je me sentais un pas-
sager clandestin pincé à fond de cale. Steiner était
accoutré de façon bizarre, en vêtement de cuir à
franges, façon trappeur. J'avais le nez sur la couture
de son pantalon. Il se pencha : je crus qu'il allait me
gifler, protégeai mon visage. Mais il me remit debout,
lâcha mon oreille qui me cuisait et contre toute

attente me prit dans ses bras. La chaleur de son corps se communiqua à moi. Nous restâmes ainsi enlacés pendant près d'une minute, j'étais broyé contre lui. Je me sentais si chétif auprès de ce géant. Avec une intonation douloureuse, il chuchota :

— Ah, malheureux, quel besoin aviez-vous d'ouvrir ces portes ?

Sa joue rêche posée contre la mienne, Jérôme Steiner pleurait. Ses mains, aux doigts interminables, s'enfonçait dans mon épaule, son immense carcasse était secouée de spasmes.

— Si vous saviez ce que l'arrivée d'Hélène en pleine nuit a déclenché en moi, quelles blessures elle a rouvertes. Dieu m'est témoin que j'aurai tout fait pour que vous quittiez cette ferme !

Benjamin T. en était là de son récit quand mon bip sonna. Il était 3 heures 15 du matin. Furieuse, j'appelai la surveillante par téléphone mural. Un jeune homme inanimé venait d'être amené pour tentative de suicide. Sa fiancée l'accompagnait ; ils avaient rompu quelques heures auparavant. Je refusai de me déranger, renvoyai le cas sur un autre médecin. Je bredouillai de brèves excuses à Benjamin, le suppliai de reprendre son histoire.

Les larmes du Maître m'avaient plus terrorisé qu'une claque ou un coup de poing. Retrouvant

146

l'usage de la parole, je le priai de me laisser remonter. D'autorité, il m'entraîna avec lui dans le boyau d'où je venais. Je tremblais, mes jambes se dérobaient sous moi. Je me sentais pris en faute. Steiner m'obligeait à enjamber les flaques d'eau, à baisser la tête quand le plafond était trop bas. Nous n'eûmes guère à marcher. Au fond d'une fissure obscure, le Maître s'arrêta devant un renfoncement, sortit de sa poche un jeu de clefs, en engagea une dans un boîtier à touches encastrées, déverrouilla une autre porte métallique.

— Bienvenue dans ma tanière !

J'entrai dans une sorte d'oratoire creusé à même la terre et meublé d'une table posée sur des tréteaux. Une vidéo, un ordinateur, un téléphone en occupaient toute la surface. De l'écran allumé qui bleutait la pièce mais que je ne voyais pas montaient, plus distincts, les mêmes soupirs entendus tout à l'heure. Steiner alla couper le son et l'image. On aurait pu se croire dans la salle de surveillance d'un magasin. L'ensemble était disposé de bric et de broc. Une lampe d'architecte à bras articulé était fixée au mur mais le socle, mal cloué, se détachait. Tout au fond, des étagères débordaient de cassettes vidéo et de dossiers. Steiner me fit asseoir sur un fauteuil pivotant et me considéra d'un œil inquiet.

— Vous m'obligez donc à tout vous dire !

— Me dire quoi ? Je ne comprends pas.

— Vous saviez pourtant que l'accès à ces lieux était réservé ? Raymond vous avait prévenu ?

— C'est un malentendu. Je m'étais perdu et je remontais quand vous m'avez croisé.

— Un malentendu ?

147

Il s'esclaffa.

— Vous fouillez nos chambres, dévalisez presque la bibliothèque, ouvrez une porte interdite, vous aventurez dans ces sous-sols et vous appelez cela un malentendu?

— Oh je sais, je suis désolé, j'ai eu tort mais... je suis curieux. J'avais envie de mieux vous connaître, voilà la vérité.

Il me dévisagea d'une drôle de façon, ralluma la vidéo. Dans l'écran surgit d'abord floue et striée l'image du porche du chalet sous la neige, celle du vestibule et des principales pièces. Je frémis à l'idée que Steiner ait pu nous voir, Hélène et moi, le premier soir, depuis ce moniteur. Il pressa une autre touche et j'aperçus, assise de dos, par terre, dans un lieu clos, une silhouette aux longs cheveux.

— Vous avez entendu des plaintes tout à l'heure?

Steiner prit place près de moi sur un tabouret : il me mangeait presque dans la bouche. La clarté de la lampe tombait sur son crâne, rosissait la racine de ses cheveux. Il en avait une telle masse, un tel jaillissement de mèches blanches et argentées que j'en eus un pincement d'amertume. Même à vingt ans, les miens étaient plus fins, plus rares.

— Ces plaintes, Benjamin, proviennent de cette femme enfermée à quelques mètres d'ici.

Sa respiration était saccadée. Il ramena sa chevelure en arrière et j'aperçus de gros poils, pareils à des ronces, qui sortaient de ses oreilles. Il me fallut un certain temps pour enregistrer l'information.

— Une femme est enfermée près d'ici?

— Savez-vous pourquoi? Le devinez-vous au moins?

Sa paupière droite sautait, une espèce de fébrilité s'emparait de lui. Un tic nerveux lui faisait plisser le nez. Il serra les poings, baissa les yeux comme si la confidence à venir ne pût s'accommoder du face-à-face.

— Cette jeune femme a commis une faute...

Un flot d'acidité me brûla la gorge. Je n'osais lui faire répéter.

— Je dis bien une faute et même une faute capitale !

Il se leva, emporta son tabouret, sortit du cercle de lumière de la lampe, éteignit la vidéo. Je ne voyais plus son visage. J'entendais son souffle et le léger bourdonnement des appareils. Cette voix sans corps m'inquiétait et flottait à la façon d'un esprit. Je devais couper court à ces épanchements, j'avais la prémonition que je lui appartiendrais si je l'écoutais.

— Sachez d'abord, petit fouinard, que nous sommes ici à cheval entre la Suisse et la France. La frontière est à cinq cents mètres. Cette ferme a servi de base à la Résistance à partir de 1941. Profitant de la nature particulière du terrain, un vrai gruyère dans cette région, les maquisards du Haut-Doubs et de Franche-Comté y avaient creusé tout un réseau de souterrains pour dissimuler les fugitifs et entreposer des armes. Un tunnel devait relier la Suisse, il ne fut achevé qu'à l'automne 44 au moment où les armées alliées libéraient le département. Ni les Allemands ni les Miliciens, avertis pourtant par de nombreuses dénonciations, n'ont pu le déceler. Il était dissimulé à l'époque par tout un dispositif technique. Et le propriétaire de la ferme, membre d'un réseau gaulliste, avait la réputation d'être un sympathisant de Vichy, ce qui écartait les soupçons. Je vous raconte cela car j'ai moi-même séjourné ici à l'âge de 6 ans pendant tout un hiver. Mon père, communiste et chef local des FTP, nous y avait cachés, ma mère, mes sœurs et moi, en attendant de nous transférer en Suisse où nous avons passé le reste de la guerre. De ces longues semaines de claustration, j'ai gardé une terreur du noir. Nous n'avions pour nous éclairer alors que de mauvaises bougies. J'aidais aux travaux de soutènement avec mes petits moyens, charriais des sacs de pierres, des morceaux de bois, portais la nourriture. J'ai beaucoup appris de ces mois de clandestinité : comment dissimuler la terre excavée, forer un boyau, le consolider. J'avais beau être jeune, ce sont des choses qui ne s'oublient pas. Cela m'a servi quand j'ai retrouvé cette bâtisse à demi en ruines, il y a sept ans, l'ai rachetée à des gens de Neuchâtel qui l'avaient reçue en héritage et l'ai retapée. La plupart des galeries étaient éboulées. Raymond et moi, par un labeur harassant de près de deux ans, en avons, dans la plus grande discrétion, dégagée une sur une longueur de quatre-vingts mètres. Nous avons creusé deux caches à son extrémité plus cette niche qui me sert de bureau.

Je crus à propos de l'interrompre et me levai.

— Monsieur Steiner, je m'excuse, je dois aller retrouver Hélène !

— Rasseyez-vous !

Le ton de sa voix ne laissait aucune place à la discussion. Je devinais sa masse imposante dans l'obscurité. A tout instant, il pouvait bondir sur moi, m'écraser.

— Je vais être bref, je vous le promets. Permettez-moi de faire un petit retour en arrière et de solliciter quelques minutes encore votre attention. Vous le savez, je suis avocat d'affaires, une profession lucrative qui m'a valu de côtoyer des gens fortunés. Je jouis d'une certaine aisance et n'ai personne à ma charge. Mais ce métier n'a jamais constitué qu'une activité alimentaire : ma vraie passion, ce fut le vagabondage amoureux. J'ai passé le plus clair de ma vie à caboter d'une femme à l'autre. Déjà étudiant on m'appelait le gauchiste lubrique : je voulais bien faire la Révolution mais à l'horizontale sous les draps. Je me suis marié pour des raisons de convenance ; à l'abri de cette institution, je menais toutes sortes d'intrigues. Je n'avais qu'une seule patrie, les bras d'une amante toujours nouvelle, qu'une ambition, allumer les beaux incendies qui couvaient entre les jambes de mes compagnes. La seule idée de croiser le chemin d'une jolie fille me poussait chaque matin à me lever. Mon épouse fermait les yeux. L'idiote a espéré pendant vingt ans que j'allais changer. Sa tolérance un jour finit par me peser. J'étouffais dans l'enceinte conjugale, cette vie à deux me privait d'une multitude d'autres intrigues. J'étais en train de passer à côté d'une existence plus riche, plus dense. Nous divorçâmes. J'étais pressé.

« Mais la séparation une fois prononcée, tout changea. Sans m'en rendre compte j'avais pris de l'âge, je plaisais moins. Les femmes me résistaient. J'avais assimilé la séduction à une rafle de police ; j'en étais réduit à une humble prière. Et moi qui en tenais pour des conquêtes faciles, je vivais désormais dans la peur d'être éconduit. Mon épouse, je le comprenais trop tard, m'avait en quelque sorte protégé de la rebuffade. J'étais maintenant un colis en souffrance, j'allais faire partie des recalés de l'amour et je me voyais finir en petit vieillard contraint de payer pour obtenir des faveurs qui m'arrivaient jusque-là en abondance. Il n'est pas vrai que la fortune tienne lieu de séduction; l'argent peut acheter le consentement mais non l'élan, non la passion. Le papillonnage avait été le sel de ma vie; quand il cessa, je tombai dans une profonde mélancolie. Devant toute jeunesse qui me battait froid, j'oscillais entre le mépris et l'envie; si je la revoyais un peu plus tard, gâtée ou abîmée, je me réjouissais, me disais: ouf, un souci de moins! Chaque embrassade d'amoureux, chaque rire de jeune fille me blessait comme une insulte personnelle.

« C'est alors que Raymond m'a éclairé et sauvé malgré lui. Il était entré à mon service dix ans auparavant après que je lui eus épargné en tant qu'avocat une longue peine de prison pour affaires de mœurs. Il travaillait comme chef dans un restaurant quelques soirs par semaine et s'occupait de mon appartement le reste du temps. Il m'avait suivi après mon divorce. Connaissant mes coutumes, il vivait chacune de mes rencontres aussi intensément que moi. Je représentais pour lui tout ce qu'il rêvait d'être. Il avait été marié à une harpie qui l'avait plaqué. Je ne lui connaissais aucune passade, aucune frasque. Son physique décourageait les contacts, il était si vilain que certains jours, il me donnait mal au cœur. Comme l'avait dit une de mes amies, il ferait tourner le lait d'une mère en couches.

« Il aimait à épier la nudité des femmes, se glisser dans leurs chambres, les observer sous leurs douches, je le soupçonnais d'espionner mes ébats avec des inconnues quand par hasard ils se déroulaient chez moi. Il nourrissait aussi une détestable habitude dont j'avais tenté de le corriger : dans le restaurant où il officiait, il enfermait les jolies clientes dans les toilettes avec un passe spécial. Il les cloîtrait jusqu'à ce que leurs cris alarment le personnel. Son patron, après avoir renvoyé un ou deux immigrés, comme il se doit, commença à le suspecter. Pour expliquer un tel geste, Raymond disait avoir vu tant de ravissantes se faire peloter dans les waters par des brutes qu'il avait perdu toute estime pour elles. J'avais menacé de le congédier s'il persistait. Il montrait par moments vis-à-vis du sexe féminin des accès de fureur qui m'inquiétaient.

« Un jour, j'ai croisé la route de Francesca Spazzo : c'était il y a neuf ans. Elle m'arrivait précédée d'une réputation de luxure invétérée. Elle était passée à travers tant d'épisodes crapuleux ou sordides qu'on désespérait de l'émouvoir encore. Vaniteuse autant que venimeuse, elle vous jaugeait selon le plaisir qu'elle pourrait éventuellement tirer de vous. On lui connaissait plus d'amants et d'amantes qu'il n'y a de jours dans l'année et tous elle les avait démolis, secoués, contaminés. Plusieurs fois, elle avait échappé à la vengeance d'hommes ou de femmes jaloux, rendus fous par son mépris. Elle était ravagée par ses vices et par ceux qu'elle éveillait chez les autres. S'acoquiner avec elle, c'était risquer le dérèglement, s'embarquer pour un voyage dont on ne savait pas le

153

terme. J'en devins fou ; j'avais trouvé un maître qui me dominait par ses caprices, sa culture, elle enseignait alors la philosophie. Pour la première fois, je tentais de m'attacher une femme à demeure, j'avais 58 ans.

« Étant amoureux, je l'ennuyais ; elle me quitta. Je la suppliais, m'abaissais aux démarches les plus humiliantes. De guerre lasse, elle m'offrit d'être son rabatteur, de lui ramener jeunes gens et jeunes filles, d'assister à leurs ébats. Elle possédait vraiment le charme du mauvais ange. J'étais pris à mon piège : Casanova sénile tombant amoureux d'une femme plus jeune qui lui renvoie la cruauté dont il a usé toute sa vie envers d'autres. Et je n'avais même plus le loisir de me distraire de cet échec avec des jouvencelles. Ma nouvelle situation avait mis Raymond en rage ; vivant à travers moi, mes revers étaient les siens. Si je sortais de la scène, il en sortait aussi. Un soir, il s'en vint me trouver.

« — Patron, vous vous souvenez de cette Francesca qui nous a plaqués ?

« — Comment veux-tu que je l'oublie, imbécile ?

« Je détestais son usage de la première personne du pluriel concernant un événement désagréable. Je voulais bien partager les plaisirs avec lui, pas les deuils.

« — Patron je nous ai vengés. La putain ne pourra plus nuire aux autres et promener son sale minois de par le monde.

« Je m'affolai, craignant le pire. Quelle bêtise avait-il pu commettre ? non, il ne l'avait pas tuée ou violée, il me rassura. Il m'emmena dans un petit pavillon de la banlieue Est qu'il avait acheté avec ses économies. Nous descendîmes à la cave. Il ouvrit une première porte à battant métallique qui donnait, après un petit couloir, sur une seconde munie d'un œilleton grillagé. Un vrai quartier de haute sécurité qu'il avait bricolé lui-même ! Il me pria de regarder : sur un matelas pneumatique, près des reliefs peu reluisants d'un repas et d'un seau pour les besoins, se trouvait Francesca, échevelée, furieuse. La détention qui datait d'une semaine ne lui avait rien fait perdre de sa superbe. Cet abruti de Raymond l'avait enlevée pour me venger !

« — Vous voyez, Patron, je lui apprends à cette garce à vous avoir saqué ! Chaque jour je lui demande : acceptez-vous de revenir avec M. Steiner ? Tant qu'elle refuse, je la laisse croupir. Dans quelque temps, j'aurai réduit ses rations de moitié. Elle ne fera plus la fière, croyez-moi et retournera en rampant à vos côtés.

« J'empoignai Raymond par la tignasse, le secouai.

« — N'es-tu pas complètement cinglé ? Tu sais que ce genre de plaisanteries avec le casier que tu as pourrait te conduire aux assises ? Je t'ai défendu une fois, je ne le ferai pas deux. Tu vas immédiatement libérer Francesca, lui présenter tes excuses. J'espère qu'elle acceptera une compensation financière pour prix de son silence.

« Raymond osa me contredire. Si nous libérions Francesca maintenant, elle ne manquerait pas de nous dénoncer, même en prenant l'argent. Elle qui entendait notre dispute derrière la porte vint au grillage et souhaita nous parler. Nous voici tous trois assis dans cette pièce nauséabonde et j'avais honte de voir cette femme que j'aimais encore réduite à une condition aussi vile. Elle avait laissé le seau ouvert pour bien nous faire partager son humiliation. Sans se démonter, elle nous proposa un marché.

« — Je comprends trop bien les motifs pour lesquels Raymond m'a kidnappée, je les comprends car je les partage en partie. Mon séjour ici m'a donné une idée que je pressens en vous : chez toi Raymond parce que tu es laid et que tu as toujours été écarté de l'arène des plaisirs, chez toi Jérôme parce que tu vieillis et vieillis mal. J'ai dépassé de beaucoup la quarantaine. Jusqu'à maintenant j'ai toujours régné par mon audace et ma prestance. Vous savez peut-être ce que les ethnologues appellent l'élevage sentimental en Afrique et à Madagascar : l'accumulation chez les pasteurs, à titre de prestige, de troupeaux pléthoriques et inutiles. De la même façon, j'ai toujours promené ma bande d'étalons et de créatures que j'exhibais de façon ostentatoire. Je devais pour mon honneur être entourée de cette cour. Avec le temps toutefois, cette emprise a faibli : j'ai beau me surveiller, pratiquer tous les sports, passer de temps à autre entre les mains d'un chirurgien, mon éclat s'effiloche et je suis entrée dans la catégorie des « beaux restes ». Je vois chaque printemps arriver sur le pavé de nos villes des escouades de jeunes filles qui me repoussent dans l'ombre. Elles exhibent des plastiques à se damner, des corps qui sèment défaite et désespoir parmi leurs aînées. Leurs jambes me narguent, leurs poitrines me donnent envie de cacher la mienne. Elles me regardent avec commisération comme si j'avais déjà franchi une ligne invisible. A vingt ans la beauté

156

est une évidence, à trente-cinq une récompense, à cinquante un miracle. Ces hommages muets, ces chuchotements que soulève sur son passage une jolie femme, je ne les suscite presque plus. Au lieu de lutter en vain, je préfère abdiquer. Quand on lit sa disparition inscrite dans le regard des autres, il est temps de tirer sa révérence. Vous désirez m'incarcérer, messieurs ? Libre à vous ! Laissez-moi vous dire que vous faites erreur sur la personne !

« Je n'entendais rien à ce que racontait Francesca et la soupçonnais de chercher à gagner du temps.

« — Réfléchissez bien, tous les deux. En me jetant ici, Raymond s'est trompé de cible.

« Mon domestique avait déjà tout saisi et semblait captivé.

« — Vous voulez dire, madame (il était passé sans transition du " sale garce " à " madame ") que nous devrions nous intéresser à des filles plus jeunes ?

« — Plus jeunes bien sûr mais cela ne suffit pas.

« — Plus belles aussi ?

« — Tu as dit le mot, Raymond. Écoute ton valet, Jérôme, il parle d'or.

« Perplexe, j'étais resté à l'écart de ce dialogue. Pour moi il était évident que Francesca tentait une diversion afin de s'échapper. Son arrogance, cet ascendant qu'elle prenait sur nous dès qu'elle ouvrait la bouche, m'exaspéraient.

« — Pourquoi les belles, messieurs ? Parce que, contrairement à l'adage célèbre, la beauté n'est pas une promesse de bonheur mais une certitude de désastre. Les êtres beaux, hommes ou femmes, sont des dieux descendus parmi nous et qui nous narguent

157

de leur perfection. Là où ils passent, ils sèment la division, le malheur et renvoient chacun à sa médiocrité. La beauté est peut-être une lumière mais qui approfondit la nuit ; elle nous soulève très haut et nous dépose ensuite si bas qu'on regrette de l'avoir approchée.

« J'étais outré, Benjamin, comme vous devez l'être en ce moment. J'écoutais cette femme qui m'avait plaqué et je me sentais incapable de lui opposer la moindre objection. Tout me révulsait dans son discours dont je sentais pourtant qu'il était le fruit d'une détresse analogue à la mienne. Francesca élucidait ce que je ressentais confusément. Mais le résultat de cet éclaircissement me choquait. Elle possédait ce don diabolique de tirer d'une situation incertaine des conséquences implacables.

« — La beauté humaine est l'injustice par excellence. Par leur seul aspect certains êtres nous dévaluent, nous rayent du monde des vivants : pourquoi eux et pas nous ? Tout le monde peut devenir riche un jour ; la grâce, si on ne l'a pas de naissance, ne s'attrape jamais. Maintenant, messieurs, réfléchissez : si vous admettez comme moi que la beauté est une infamie, un attentat contre les braves gens, il faut en tirer les conséquences. Cela veut dire que les beaux nous offensent, nous doivent réparation pour l'outrage commis. Vous êtes d'accord, n'est-ce pas ? En me cloîtrant ici, Raymond a ouvert une voie qu'il faut explorer.

« Cette fois, je comprenais, j'étais effaré, j'étouffais devant l'énormité du projet. Francesca, nous voyant mûrs, porta l'estocade.

« — Les musulmans ont bien raison de voiler leurs

femmes, de les claquemurer. Ils savent eux que l'apparence n'est pas innocente. Ils ont juste le tort de ne pas distinguer entre les visages magnifiques et les autres et surtout de ne pas enfermer les jolis garçons, tout aussi nocifs.

« Enfermer ! » Le mot était prononcé, tout était dit. Francesca venait d'un seul tenant de résumer notre tourment et de nous offrir le moyen de le soulager. C'était burlesque, je ne voulais pas en entendre plus. Je la libérai, la dédommageai et pendant des semaines refusai de la rencontrer. Mais elle avait circonvenu Raymond qui me pressait chaque jour d'accepter. A la fin, j'ai cédé. Mais vous n'avez pas l'air de m'écouter, Benjamin, vous êtes ailleurs !

L'IMPÔT DU VISAGE

Depuis quelques minutes en effet, je consultais ostensiblement ma montre.

— Pardonnez-moi, dis-je, Hélène doit s'inquiéter de mon absence.

Steiner se leva, prit son tabouret et vint se planter face à moi, à nouveau dans la lumière.

— Hélène est prévenue, elle sait que nous sommes ensemble. Mon cher Benjamin – il avait pris mes mains dans les siennes comme pour me communiquer un peu de ses convictions – j'ai été trop imprécis, je le sais, laissez-moi développer...

— Non monsieur Steiner, j'ai bien compris mais en quoi votre histoire me concerne-t-elle ?

Il me semblait que j'avais assez payé mon indiscrétion et que la seule peine méritée était le renvoi. Steiner lâcha mes mains pour marcher de long en large dans le petit bureau. Un pli de contrariété dérangeait son front. L'étroitesse des lieux accentuait sa taille, son ampleur. Je guettais le moment où il allait se racler le crâne au plafond.

— Je ne vous ai donc pas persuadé, Benjamin ?

Il avait pris une expression de bête traquée.

— Vous ne concevez pas que la beauté puisse être une torture ? Et pas seulement celle des idoles de la mode ou du cinéma mais celle qui vous saute au visage au coin des rues et vous laisse pantelant ?

— Cette question, je dois dire, ne m'a jamais effleuré.

Il parut sincèrement peiné. Je me répétais « surtout ne pas discuter, ne pas argumenter », songeais à tous les moyens de me tirer de ce mauvais pas. Il se rassit les yeux plantés dans les miens, tel un professeur qui veut faire entrer un théorème dans le crâne d'un élève obtus. Il avait repris mes mains moites et glacées dans les siennes qui dégageaient une chaleur rassurante. Il me massait lentement les paumes pour faire circuler le sang, tout absorbé par cette tâche, paraissant avoir oublié ce qui nous réunissait là. J'étais décontenancé. Son mutisme se prolongeait. Je me sentis inexplicablement oppressé. Il me torturait maintenant par le silence comme tout à l'heure par le bavardage. Pour échapper à ce face-à-face je rompis mon vœu, osai une objection.

— La laideur est quand même plus répandue ?

— Pauvre argument, Benjamin. Même rare la

beauté est encore trop présente, trop insultante. Sa ruse est de nous faire croire qu'elle est fragile alors qu'elle repousse chaque jour comme du chiendent.

Steiner déployait un zèle de prédicateur. Il énonçait ses idées avec un accent de certitude, un calme qui m'inquiétaient. J'ignorais où cette conversation allait nous mener : plus j'en entendrais, plus il se croirait de droits sur moi. Alors, par une inconséquence dont je suis coutumier, je décidai de changer de tactique et d'abonder dans son sens.

— C'est vrai, je n'y avais jamais pensé !

Ce changement, loin de me valoir ses faveurs, le contraria. Il se rembrunit.

— Vous ne pensez pas ce que vous dites, Benjamin, vous cherchez juste à éluder.

Je niai sans conviction, battis en retraite. Ses yeux pâles regardaient ailleurs à travers moi.

— Prenons la chose autrement : vous n'avez pas peur de vieillir ?

J'hésitais à répondre, troublé, me maudissant d'avoir déjà trop parlé.

— A vrai dire, je me suis toujours senti plus vieux que mon âge.

— Cette franchise vous honore. Eh bien vous ne trouvez pas que ces êtres parfaits nous poussent dans la tombe, rendent notre déclin insupportable ?

— Peut-être mais je ne les vois pas.

— Il ne les voit pas !

Son ton monta d'un coup.

— C'est tout de même admirable. Moi je ne vois qu'eux. Vous comprenez maintenant tout le mal que vous m'avez fait en arrivant ici avec votre Hélène ?

161

Il reprit son souffle, se mit à crier.

— La fourmilière femelle venait me relancer jusque chez moi alors que je me croyais à l'abri !

Il éructait, me postillonnait au visage. Terrifié par ces braillements, j'éclatai à mon tour.

— Écoutez, c'est votre problème, pas le mien. Tout ce que je veux, c'est rentrer à Paris.

La peur m'avait coupé la voix, j'avais glapi ces mots plus que je ne les avais prononcés et je tremblais de mon audace.

— Mais si, Benjamin, c'est votre problème désormais.

Steiner s'était brusquement radouci. Ses volte-face m'interloquaient. Il chuchotait presque en articulant chaque syllabe.

— Vous avez violé mon domicile, ces choses-là se payent.

Je fermais les yeux, me dis : non, tu rêves, tout cela n'existe pas. Mais quand je les rouvris, Steiner se déployait devant moi, plus fantastique, plus grand encore d'avoir été un instant effacé par mes paupières closes.

— J'en reviens à ma première question : comprenez-vous pourquoi cette femme dont vous avez entendu les cris est enfermée ici ?

J'avais déjà oublié cet épisode.

— Elle est enfermée pour expier le crime d'être belle !

Il se tut savourant l'effet de son affirmation. Constatant que je perdais mon sang-froid, je murmurai :

— Vous voulez dire, attendez, je ne vous suis pas...

162

— Vous me suivez très bien. Nous incarcérons des jolies femmes sous cette ferme pour les mettre hors d'état de nuire. Elles acquittent l'impôt du visage.

Je déglutis avec peine, mon cœur battait anormalement vite. Steiner, me semblait-il, était livide. Il y avait quelque chose d'artificiel dans sa véhémence comme s'il voulait se persuader de ses arguments. J'essayais encore de ne voir dans cette péroraison qu'une preuve d'excentricité.

— Allons, vous me faites marcher, vous vous moquez de moi.

— Je n'ai jamais été aussi sérieux et vous le savez. Je vous l'ai dit, cette confrontation avec Francesca dans la cave de Raymond m'avait indigné. D'abord, je n'ai rien voulu savoir : Dieu sait si j'ai adoré la fraîcheur et la jeunesse, je ne pouvais considérer comme un fléau ce qui m'avait donné tant de joie. J'espérais encore ma part au banquet. Même aujourd'hui, ma détestation se mêle de nostalgie, mon indulgence envers Hélène le prouve. Or Francesca me demandait de rejeter du jour au lendemain ce pour quoi j'avais vécu. Nous eûmes des discussions orageuses. Habilement, elle me représenta que le temps de la gloire était révolu, que je n'avais plus grand-chose à attendre du monde féminin, au mieux un fade brouet conjugal avec un laideron de mon âge. Je restai longtemps déchiré entre cette vérité et l'espoir de bénéficier d'un sursis. Francesca finit par l'emporter : j'abjurai, répudiai d'un coup tout ce que j'avais encensé. Ce fut une révolution, presque une conversion : les écailles me tombèrent des yeux. J'avais fait fausse route. Que Francesca m'ait enseigné cette leçon dans

163

la douleur ne la rendait que plus vraie. C'est par amour pour elle que j'avais franchi ce pas; et puisqu'elle ne pouvait désormais appartenir à aucun homme, ma passion s'est éteinte, est devenue de l'amitié, de la complicité. Un mois plus tard, dans mon appartement, Raymond, elle et moi, avons prêté serment de nous consacrer à l'élimination de la beauté humaine sous toutes ses formes sans distinction de race ou de sexe. Nous avons juré de renoncer à jamais aux plaisirs des sens car on ne peut être maître et esclave de la même chose à la fois.

Steiner se leva à nouveau, il ne tenait pas en place, l'évocation de ces instants cruciaux lui rendait la position assise intolérable.

— Je le sais, nous n'étions qu'une poignée mais armés d'une détermination sans faille. Nous nous sentions la force de vider les océans, de raser les montagnes. Nous nous sommes lancés dans cette entreprise avec une inconscience qui aujourd'hui encore m'étonne. C'est la certitude d'œuvrer pour le bien de l'humanité et de mettre fin à une intoxication collective qui nous a décidés. On ne se remet jamais d'avoir été communiste. On le reste quoi qu'il arrive, on garde l'intransigeance qui vous animait alors. Par commodité, j'ai épousé Francesca, un mariage blanc, je n'ai pas besoin de vous le préciser. Nous avons longtemps hésité entre ville et campagne pour camoufler nos prisonnières. Je me suis souvenu de cette ferme dans le Jura où je m'étais caché pendant la guerre. La solitude de ces hauts plateaux, le froid extrême en hiver, le prestige dont je jouis dans cette région, tout désignait cette place pour notre projet. Je suis un notable ici, fils d'un grand résistant, les gens me respectent et me sont reconnaissants d'avoir racheté et retapé cette ruine. Je tutoie les gendarmes du coin, j'ai même organisé plusieurs cérémonies commémoratives avec des anciens combattants. Le maire de la commune et ses adjoints sont descendus dans la cave, ont vu ce petit bout de tunnel que nous avons déblayé et ce bureau où nous parlons. Ce qu'ils ignorent, c'est que derrière ces casiers métalliques commence une autre tranchée équipée de deux cellules...

— Mais pourquoi me racontez-vous tout cela?

— Parce que vous me le demandez!

— C'est faux, je ne vous demande rien sinon de me laisser partir.

— Mais si, au fond de vous-même, vous me suppliez de développer. J'entends cette voix intérieure qui m'implore : parlez, monsieur Steiner dites-moi tout.

— Je vous le jure, je ne veux rien savoir de plus!

Sans écouter ma réponse, Steiner alluma l'écran vidéo. La couleur était trouble, analogue à l'eau d'un aquarium mal lavé.

— Tenez, prenez cette petite qui gémit. C'est un cas atypique pour nous, une jeune Américaine de Caroline du Nord que Raymond a enlevée sur un coup de tête un soir dans une rue de Paris. Elle était en vacances avec ses parents, retournait à l'hôtel dans le quartier de la gare de Lyon après avoir eu la permission de minuit. Ce fut de la part de mon domestique un acte irresponsable. L'ayant repérée, il a improvisé, l'a estourbie, l'a ramené ici ventre à terre après l'avoir ligotée dans le coffre. La bêtise commise, il fallut l'assumer. Nous évitons en général les étrangères, trop de risques avec les ambassades, Interpol, etc. Cela dit, le choix était judicieux, elle était superbe. Ah, elle lève la tête, regardez.

Il monta le son. Ce que je vis me souleva le cœur : accroupi dans une étroite cellule se tenait un petit tas de haillons agenouillé dans une muette supplication. On distinguait mal le visage qui semblait s'être rétracté. Les yeux étaient rentrés dans les orbites comme deux animaux terrifiés et l'épiderme gris montrait des traces de lacérations. Si elle avait été jeune, il n'en restait rien : celle qui vagissait devant nous était une vieille femme hagarde, à la bouche affaissée, aux membres décharnés. Toute trace d'intelligence l'avait abandonnée. Elle émettait une sorte de bourdonnement continu à mi-chemin du sanglot et du soupir.

— Je vous présente Rachelle Albright, 19 ans et demi, 1,75 mètre, née à Raleigh, Caroline du Nord, passionnée de danse et d'équitation. S'apprêtait à suivre des cours de français quand nous l'avons cueillie. Nous la relâchons la semaine prochaine après vingt mois de détention. Elle est à point.

A ce moment-là des sons sortirent des lèvres de ce spectre. Je mis du temps pour reconnaître de l'anglais.

— Help, help...

— Help ! Mais c'est trop tard, mon trésor, personne ne viendra plus t'aider. Celle-là ç'a été un cauchemar de l'entendre pleurer et nous supplier jour et nuit. Je crains pour sa santé mentale. Si vous l'aviez vue à son arrivée : bronzée, musclée, une allégorie de la délicatesse et de l'enchantement.

166

J'avais d'abord cru Steiner en proie à un accès de bizarrerie, un abus d'altitude peut-être. A mesure que les détails s'ajoutaient les uns aux autres, je devais me rendre à l'évidence. Il ne plaisantait pas, il était seulement fou à lier. Ce que j'entrevoyais me paniquait. Je répétais :

— C'est ignoble, ignoble...

— Oui, Benjamin, c'est ignoble, je vous l'accorde. Mais n'oubliez pas qu'elle était coupable, elle méritait sa peine.

— Ce n'est tout de même pas sa faute si elle est jolie, elle n'allait pas vivre cachée.

— Mais si ! Vous l'avez dit. Chacun est responsable de son visage. Nous ne trouverons le repos que du jour où les êtres sublimes des deux sexes se voileront la face ou accepteront d'être remodelés par le bistouri d'un chirurgien.

Je restais muet, écrasé par cette dernière monstruosité. Steiner dut prendre mon silence pour du scepticisme car il haussa soudain la voix.

— Vous ne me croyez pas ? Vous nous dédaignez parce que nous ne sommes que trois coalisés contre l'univers ?

Je haussai les épaules. Dans le catalogue sans limites des insanités humaines, je ne pensais pas croiser celle-ci un jour sur ma route. Un abîme s'ouvrait devant moi. Je ne m'étais jamais colleté à des situations de cette nature. Steiner avait posé ses deux mains sur mes épaules et me fixait. Je n'osais soutenir son regard. Une veine lui battait sur le bombé du front comme si une bête tapie dans les replis de son cerveau tentait de s'en affranchir. De minces filets d'écume blanche s'étaient amassés aux commissures de ses lèvres qui me rappelaient certains de mes professeurs.

Je le devinais, il pouvait exploser à tout instant. Je le sentais partagé entre la peur de trop m'en dire et la peur que je ne le croie pas s'il n'en disait pas assez. J'aurais dû m'enfuir, tenter ma chance. Je demeurais là, stupide, anéanti par une incommensurable passivité. Je toussai de façon misérable pour cacher ma gêne. Steiner reprit son ton de pédagogue. Son prosélytisme me hérissait autant que ses théories. Il avait cet affreux fanatisme des doux qu'on rencontre chez certains intégristes. J'aurais voulu me boucher les oreilles, ne plus entendre ses sophismes.

— Éteignons, Benjamin, voulez-vous ? J'ai besoin de me concentrer.

Il arrêta tout. Seule une minuscule veilleuse trouait la pénombre et ce regain de ténèbres me crispa.

— Vous êtes gentil de m'écouter, si, j'y insiste, vous manifestez une grande patience. Vous n'imaginez pas le bien que ça me fait. Je ne vous ai pas encore raconté l'essentiel. Je vous épargne les procédures de l'enlèvement, les détails annexes, les précautions que nous prenons. Tout est prévu, un système de chauffage, des gaines d'aération, une blanchisserie et un incinérateur afin que rien ne filtre vers le dehors. Nous œuvrons de façon clandestine, comme des maquisards, même s'il s'agit d'une autre guerre. Notre activité est fondée sur un principe simple : la privation de regards. Savez-vous ce qui enlaidit nos captives ? Que personne ne les voie. Or la beauté n'existe qu'admirée, elle est toute d'ostentation. Cessez de braquer vos yeux sur elle, elle dépérit. C'est ce que nous faisons ici : ces créatures divines, follement imbues d'elles-mêmes pour qui chaque jour doit être un plébiscite, nous tranchons d'un coup la source de leur vitalité, nous coupons tout ce réseau d'œillades et d'hommages qui les alimentaient. Ces statues arrogantes souffraient de voracité oculaire ? On les buvait là-haut dans le monde du paraître avec la rétine ? Nous les soumettons à l'opprobre suprême : l'invisibilité.

« Résultat : elles se dessèchent sur pied. A propos vous ai-je dit le nom de notre chalet ? Il s'appelle le Fanoir. Ainsi l'avaient baptisé les bergers qui menaient y paître leurs troupeaux. C'est un terme d'agriculture : il désigne ces cônes à claire-voie où l'on fait sécher le foin. Le mot nous a plu, nous a paru être un signe du destin. Nous avons fait du Fanoir ce lieu de réclusion où les plus ravissantes des ravissantes se fanent comme des fleurs entre les pages d'un livre. Nous n'exerçons aucune violence sur nos invités, essentiellement des femmes pour l'instant. Nous les enlevons à des centaines de kilomètres sans qu'elles nous aient jamais vus ou adressé la parole. Leurs vêtements sont brûlés, leurs papiers détruits, leurs bijoux fondus quelle que soit leur valeur. Ici les lois s'arrêtent, les droits sont suspendus tant qu'elles ne sont pas redevenues des humains comme les autres.

« Leurs cellules, capitonnées, dotées d'un bat-flanc et d'une salle d'eau, sont sous la surveillance permanente d'une caméra. Hélas, nous n'avons jamais plus de deux pensionnaires à la fois, nous sommes

169

trop peu nombreux. Nous sommes de modestes arti-
sans à l'image de ces horlogers qui peuplent les val-
lées du Jura de part et d'autre de la frontière.

Steiner se tut. Je n'aimais pas cela. J'avais peur du
noir, peur des sous-sols, de la claustration. J'attendais
qu'il reprenne. Tant qu'il parlait, j'étais tranquille. Sa
volubilité, même hargneuse, me protégeait. Je
n'entendais que sa respiration haletante, il pouvait lui
prendre l'idée de me frapper sans raison.

— Et cela suffit à les faire vieillir?

— Ah qu'il est impatient! Attendez un peu, jeune
homme! Nos détenues ne communiquent jamais
entre elles, trop d'épaisseur de terre les sépare, ni
avec nous. Si nous devons entrer dans leurs cellules,
nous nous dissimulons de la tête aux pieds. Nulle ne
sait pourquoi elle est là, le lieu de sa détention, la
nature de sa faute, la durée de sa peine. Ce silence
absolu où nous les tenons a des effets terribles:
s'entretenir avec son geôlier, c'est encore parler à un
homme. Ici, elles sont réduites à un monologue infini.
Durant tous les mois passés chez nous, elles n'auront
pas vu un visage, échangé un mot. Pas de prome-
nades, pas de lumière, pas de distractions, pas de
bruit, pas de miroir. Une simple horloge posée au plafond et dont on a déréglé le mécanisme: les aiguilles
courent à toute vitesse, les minutes comme des
secondes, les heures comme des minutes, les journées
comme des heures. Ce mécanisme emballé, pareil au
défilé des centièmes de seconde dans les compétitions
sportives, matérialise leur rapide dégradation. Rien
ne doit les distraire du pur écoulement de la durée qui
les anéantit. Toutes restent jusqu'à consommation du

châtiment dans ce mausolée de montagne où nous enfouissons la beauté comme les matières fissiles dans les océans.

— Et cela marche ?

Je continuais avec mes questions idiotes. La curiosité avait pris le pas sur la peur.

— Croyez-moi, le traitement est radical : la solitude, la stupeur de cet emprisonnement inattendu après une vie de plaisirs et de fêtes, tout concourt à les détruire. Il y a encore peu, elles faisaient des projets, préparaient des vacances, des études, des fiançailles. Les voilà dans nos catacombes pour un voyage sans retour. La beauté est un fragment d'éternité que le temps finit toujours par détruire. Nous accélérons le processus. Vous connaissez de ces êtres qui, à la suite d'un deuil ou d'un choc, voient leurs cheveux blanchir en une nuit ? C'est ce qui se passe avec nos protégées : au sortir de cette cure de néant, elles ont pris vingt ou trente ans de plus. Ni ultra-violet ni traitement chimique : la relégation suffit. La vieillesse fond sur elles comme un oiseau de proie. Elles s'étaient couchées jeunes, elles se réveillent sexagénaires. Dès que nous jugeons les dégâts irrémédiables, dix-huit à vingt-quatre mois suffisent en général, nous les relâchons très loin d'ici, en pleine campagne et de nuit, les yeux bandés. Pas plus qu'elles n'ont compris leur emprisonnement, elles ne comprennent leur libération. Elles dégagent à leur sortie une odeur aigre d'hospice, l'odeur du temps passé. Nous leur glissons une petite glace dans la poche. Alors Vénus se regardant au miroir voit le visage de Mathusalem. Cette ultime commotion achève de les démolir : elles ne se reconnaissent plus. Elles s'affligent de leur liberté retrouvée car elles portent désormais le cachot en elles-mêmes, le cachot de la laideur et de l'âge.

Steiner ralluma. Il était rouge, violacé, il coula vers moi un regard anxieux et d'une enjambée s'assit à son clavier d'ordinateur. Il cliquait sur les icônes, pianotait avec une dextérité qui me surprit, les touches s'enfonçaient dans un galop ouaté.

— Je vous sens déjà moins sceptique, Benjamin, est-ce que je me trompe?

Je ne crus pas utile de confirmer. Maintenant que la lumière était revenue, je pouvais le suivre des yeux.

— Voyez-vous, je suis un peu médium, je fonctionne à l'intuition. De même que dans la moue d'une adolescente ingrate, je flaire la splendeur à venir, dans l'ovale parfait d'une jeune fille, je pressens les défauts qui la gâteront, les failles qui en brouilleront la cohérence. La beauté donne peut-être à un être humain le statut d'une œuvre d'art mais un rien transforme la souveraine d'hier en souillon. Tenez, regardez.

De face et de profil, tel un cliché de l'identité judiciaire, la figure d'Hélène émergea de l'écran. A la grimace figée de ma compagne, je reconnus le Polaroid pris par Raymond ce matin devant la ferme. Les couleurs en étaient déjà passées. Steiner avait intégré mon Hélène dans sa banque de données!

— La photo n'est pas bonne, votre amie n'est pas sous son meilleur jour mais elle reste très bien.

Il prit une feuille de papier, un crayon gras, esquissa quelques traits.

— Je vais maintenant ébaucher devant vous, à par-

172

tir de cet instantané, une Hélène virtuelle telle que je l'imagine dans trente ans. Elle partira par la bouche et les joues. Le segment gauche des lèvres se déportera vers l'oreille et formera aux alentours de la cinquantaine une cavité en cul-de-poule. Les lèvres se craquelleront, perdront de leur arrondi, de leur galbe, rentreront dans la bouche tandis que le menton s'avancera.

Il allait de l'écran au papier, effaçait parfois une ligne d'une gomme fichée à l'embout du crayon.

— Notez bien que toutes les parties du corps ne s'effondrent pas à la même vitesse. C'est la peau qui s'abîme le plus vite et perd de sa consistance. Chez Hélène, elle se fripera, se contractera en plis. Les joues se creuseront, soulignant la saillie des pommettes, rétrécissant la figure. Du coup la symétrie de l'ensemble sera bousculée, le nez semblera trop long, les yeux trop enfoncés dans les orbites. Le regard perdra de sa vivacité. Voilà, j'y suis presque : j'accentue les rides d'expression, je retravaille les reliefs, je fonce la pigmentation, je grisonne les cheveux. Qu'en pensez-vous ?

J'avais devant moi le portrait-robot d'une femme qui ressemblait presque trait pour trait aux photos de la mère d'Hélène prises peu avant sa mort alors qu'elle approchait la soixantaine.

— Cela fait peur, n'est-ce pas ? Je parierais que c'est sa maman tout crachée ! Quand nos invitées retournent chez elles, leurs mères les rejettent avec horreur. Elles croient contempler leurs propres doubles. Leurs filles sont devenues des momies aux cheveux blancs et qui s'expriment avec des voix

173

d'adolescentes. Le contraste contribue à la répulsion qu'elles inspirent. Si elles portent plainte, nul ne les prend au sérieux. Elles finissent dans un service psychiatrique ou cachées comme un honteux secret par leurs familles, subissent un second internement après le premier.

J'étais ahuri. En même temps une question me brûlait les lèvres : j'aurais voulu demander à Steiner de me dessiner selon la même méthode et de me représenter dans vingt ans. Ma gêne devait être perceptible car il eut une lueur de gaieté dans le regard.

— Je vous sens attrapé, Benjamin. Ne niez pas, je vous fais horreur mais le sujet vous passionne.

Fébrile, il alla quérir sur une étagère un gros album couvert d'un étui plastique qu'il posa sur la table.

— Est-ce que ces jeunes filles se rendent compte de la chance que nous leur offrons ? Échapper à l'obsession de l'image, aux diktats de la mode ; ne plus avoir à se maquiller, à surveiller leur poids ; ne plus être traitées en objets sexuels... Elles voulaient être aimées pour elles-mêmes ? Elles sont servies !

Il poussa son tabouret près de mon fauteuil, ouvrit l'album.

— Chaque fois qu'une nouvelle arrive, je crayonne son visage à venir et vérifie ensuite la coïncidence du modèle avec ma projection. Vous avez là toutes nos merveilleuses des cinq dernières années avec leur taille, leur âge, leurs mensurations. Sur la page de gauche leur tête à l'entrée ; au centre ma simulation ; à droite leur photo deux ans après. Vous constaterez que je ne me trompe guère.

Steiner ne se cachait pas, il était fier, quêtait presque des éloges, fanfaronnait. Son recueil de trophées avait l'allure d'un « book » de mannequins ; il constituait en fait un macabre document. Tous ces visages épinglés racontaient l'histoire d'une ruine en accéléré ; tous s'étaient déformés sans mûrir et disaient le même égarement, la même terreur avec cette pâleur terrible de qui n'a pas vu le soleil depuis deux ans. Ce n'étaient pas de belles figures de vieillardes sculptées par la vie, c'étaient des trognes rétrécies, ratatinées à la manière jivaro. La peau n'avait pas eu le temps de se patiner, le teint de se cuivrer, la face de se craqueler noblement. D'un cliché à l'autre une espèce de foudre les avait frappés. Une implacable corrosion avait gâté le marbre des traits, morcelé comme mosaïque les devantures les plus admirables. Steiner commentait en tournant les pages, faisait défiler ces mortes vivantes, ces grand-mères de vingt ans dont le seul péché était d'être nées jolies. A la fin se trouvait Rachelle, la dernière en date, une délicieuse enfant d'une incomparable luminosité. Avec sa bouille ronde et l'étonnement qui bleuissait ses yeux, elle respirait la joie de vivre, la bonté. De tous les rescapés de cet enfer, c'était la plus saccagée, la plus méconnaissable. Cette fois je fus révulsé, je gémissais :

— Mais pourquoi, pourquoi...

— Pourquoi quoi ? Espèce d'abruti !

Sans crier gare, Steiner avait tapé du poing sur la table.

— Cela fait une heure que je vous l'explique. Je suis victime d'une intolérable agression, je me défends, voilà pourquoi.

En une seconde, il était devenu une sorte de chien enragé, il n'articulait plus, il vibrionnait, de larges taches violettes lui marbraient la figure.

— Le vitriol, Benjamin, le vitriol, c'est tout ce qu'elles méritent. Si j'étais au pouvoir, j'instituerais le vitriol pour tous dès le berceau. Égalité absolue !

Il tremblait, suffoquait, submergé par l'énormité de ce qu'il venait de dire. Je perdais mon aplomb, mon cœur flanchait. Cette crise-là serait la bonne, c'était la fin, il allait me tuer, se venger sur moi. Je jouais mon va-tout.

— Vos images sont truquées, tout cela sent le canular.

Il tressaillit comme si je l'avais piqué avec une aiguille. Il grimaça, tira sur son col, porta la main à la gorge. Le rouge envahit son cou, sa nuque, s'étala en larges plaques jusqu'à la racine des cheveux. Je crus à une attaque, un infarctus. Il soufflait. Il accomplit avec peine une lente rotation sur lui-même. Pris dans l'étau de ces yeux fous, je paniquais. Il aboya :

— Tirez-vous, espèce de pauvre type. Et emmenez votre greluche, disparaissez, je ne veux plus vous voir tous les deux, foutez le camp !

Il hennissait presque. Je n'en crus pas mes oreilles. Il me fichait dehors ! Je m'arrachai à mon atroce complaisance, me levai prudemment, croyant encore à une ruse. Il restait, fulminant sur son tabouret. Je fis un pas vers la porte, l'entrebâillai. Sa face s'était effondrée comme sous l'effet d'un glissement de terrain : les yeux étaient tombés dans la bouche qui pendait sur le menton et ce dernier sur la gorge.

Avec son torrent capillaire décoloré, il ressemblait à une vieille actrice grimée à qui on aurait jeté un paquet d'algues sur le crâne. Je reculai avec prudence sans lui tourner le dos.

Quand j'eus franchi le seuil de la porte, je commençai à courir. Je remontai l'étroit tunnel, butai sur une aspérité, manquai de m'étaler. Je trouvais bizarre que Steiner m'ait chassé alors que ses aveux faisaient de moi un témoin gênant. J'atteignis la cave, traversai la salle de la chaudière qui grondait à la manière d'un dragon constipé. Mes lourdes chaussures résonnaient sur le ciment. J'arrivai au bas de l'escalier qui mène à la cuisine, le gravis deux à deux. Steiner ne me suivait pas; il s'était découragé, m'horrifier lui avait suffi. Nous avions encore une chance. J'irais chercher Hélène, nous nous sauverions sans demander notre reste. Il serait toujours temps de débrouiller cette histoire. Je poussai la porte de la cuisine, sentis une entrave. J'insistai, l'obstacle céda dans un tintamarre d'apocalypse. Entraîné par mon élan, je glissai sur un tapis de métal et d'acier, une pyramide de casseroles, de cuillères, de fourchettes placées là tout exprès et qui s'éparpillèrent en mille notes furieuses et aiguës. Je relevai la tête, légèrement étourdi. Postée devant le fourneau, immobile, Francesca Spazzo-Steiner me toisait.

Les voleurs de beauté

Elle n'était pas à son avantage. Une fois encore je fus frappé par les altérations de sa physionomie. Des taches jaunâtres qui avaient dû être de rousseur cernaient un nez luisant comme trempé dans une solution huileuse. Ses poches sous les yeux lui faisaient ces agrégats boursouflés que produisent les bougies en coulant. Une ecchymose de la largeur d'une pièce de monnaie marquait sa pommette droite. J'ignorais encore à ce moment-là qu'elle s'était battue avec Hélène. Rien qu'à voir ce bloc d'animosité, je sus que notre sort était scellé.

— Il vous a tout dit, n'est-ce pas ?

Elle grogna, son lourd chignon s'effondra sur la nuque.

— Tant pis pour vous, Benjamin !

— Comment ça, tant pis ? Votre mari veut que je parte.

— Steiner dit n'importe quoi, venez !

Elle me saisit par le coude, me traîna hors de la cuisine. La gaillarde, robuste, me bloquait dans un véritable étau. J'avisai le vestibule avec la sinistre horloge en forme de sarcophage et ses animaux empaillés. Si je pouvais d'un bond atteindre l'entrée ! Mais un cri jailli du premier me retint : Hélène appelait au secours. Je me débattis.

— Lâchez-moi ! qu'est-ce que vous lui avez fait ?

Francesca me poussa dans le petit salon où nous nous étions réchauffés le premier soir.

178

Le Fanoir

A cheval sur un bras du canapé, Raymond nous attendait, coiffé d'un bonnet de ski rouge à pompons qui lui donnait un air de lutin pervers. Sa face de jocrisse brillait. Le revoir dans ces circonstances me glaça les sangs. Chez cet homme tronc, il y avait quelque chose de la méchanceté de certains petits garçons incapables de s'amuser sans maltraiter un tiers. Toute la ferme était devenue une zone hostile peuplée d'ennemis. Steiner était mon dernier recours, lui seul exigerait des autres qu'ils nous relâchent; mais il n'arrivait pas. Francesca et Raymond se tenaient devant moi, me cachant l'âtre. Lui ricanait bêtement, se délectait de ma peur; elle, toute en dureté, était une grosse guêpe gorgée de poison.

— Benjamin, finit-elle par articuler, et sa voix avait le tranchant d'un couperet, nous ne pouvons plus vous laisser filer. Vous en savez trop. Nous allons délibérer et décider de votre sort.

— C'est une plaisanterie, j'espère...

Ils quittèrent la pièce avec une solennité indécente non sans avoir verrouillé les portes. Machinalement, je me versai un verre d'alcool, me pris la tête entre les mains. Il fallait que je retrouve mon calme. L'essentiel était de rejoindre Hélène, à deux nous serions plus forts. J'avais à peine ébauché un plan dans ma tête que mes juges revinrent, accompagnés de Steiner. Bêtement la présence du maître de maison me réconforta.

— Monsieur Steiner, dites-leur de nous laisser partir. C'est vous qui me l'avez ordonné.

Il baissa les yeux, gêné. Ses cheveux étaient gras, collés sur son crâne.

179

— Mon mari, Benjamin, s'excuse auprès de vous : il a parlé trop vite.

Francesca n'était pas seulement l'idéologue du groupe mais le commissaire politique. Les autres parlaient sous son autorité et filaient doux dès qu'elle ordonnait. Je regardais avec effroi ce trio diabolique, la réunion de la virago, du nain obséquieux et du patriarche soumis, tous lugubrement réels. Celui que j'avais pris pour le cinglé était le plus humain. Il y eut un lourd silence. La matrone philosophique se gratta le mollet comme si elle y puisait une source de réflexion.

— Nous pourrions vous punir de votre indélicatesse, Benjamin. Nous préférons vous donner une chance. Jérôme vous l'a dit : nous relaxons cette semaine notre dernière internée. Le Fanoir est vide. Voici notre offre : nous gardons Hélène, elle nous convient. En échange, vous irez à Paris avec Raymond chercher trois autres jeunes filles. Vous nous les devez, c'est votre dédommagement. A la livraison, Hélène vous sera rendue.

J'écoutais, assommé, incapable de trouver le moindre sens à ces mots. Jérôme s'avança et une fois encore me pressa contre lui.

— Je suis désolé. S'il n'avait tenu qu'à moi, vous seriez libres. J'ai supplié Francesca d'épargner Hélène. Elle ne veut rien entendre.

Il respirait fort, ses battements de cœur résonnaient dans ma tête. Ses longs bras auraient pu faire plusieurs fois le tour de mon torse. J'étais comprimé contre sa chemise dont un bouton décousu me rentrait dans la narine. Un étranger surprenant cette

180

scène aurait pu nous prendre pour deux amis se donnant l'accolade. Sa compassion gluante me répugnait.

Mais Francesca veillait.

— Ça suffit, Jérôme, arrête tes mômeries !

Il sursauta, reçut le camouflet comme un crachat. Tandis qu'il desserrait son étreinte, je calculais mes chances de fuite. C'était le moment ou jamais. La porte du salon était ouverte. En quelques enjambées, je pouvais le traverser, atteindre le vestibule, gagner l'étage, m'enfermer dans la chambre avec Hélène. Ensuite nous aviserions. D'un bond, je m'arrachai aux bras du maître, piquai un sprint vers la pièce principale, bousculai Francesca au passage qui chavira comme une lourde tour. Mes jambes en coton me lâchèrent vite.

Avec une vélocité surprenante, le gnome m'avait plaqué au sol. Ma tête alla donner sur le parquet, j'eus un éblouissement. J'avais beau taper sur le crâne de mon assaillant lancer des ruades, rien n'y faisait. Je n'avais pas les moyens de le repousser, je suis malingre. Il rampa sur moi, mit sa gueule hideuse au-dessus de la mienne et calmement me gifla. Je revois cette main dressée : non la main qui veut assommer ou tuer, celle qui administre une correction à un gamin mal élevé. J'enfouis ma figure dans le tapis. Il me releva et les doigts noués autour de mon biceps à la façon d'une pince me ramena dans le petit salon. Francesca, hors d'elle – je l'avais fait tomber –, se retenait pour ne pas me frapper. Steiner, le visage encore gâté par l'affront subi devant moi, la calmait sans conviction.

— Alors, votre réponse ?

Elle aboyait. Croyant encore à une mauvaise farce, vexé d'avoir été claqué comme un garnement, je hurlai à mon tour :

— Je vous em-merde, vous entendez, je vous em-merde !

L'insulte me fit un bien fou.

Instantanément, Raymond me balança un grand coup de coude dans le flanc, me coupa la respiration, sortit une cagoule de sa poche et me la passa sur la tête. Le tout sans passion, avec une économie de moyens qui révélait le professionnel. Chien de garde, factotum, cuisinier, il n'était pas de rôle dans lequel il ne pût s'incarner. Sa servilité féodale lui donnait une incomparable souplesse d'emploi. Il me tordait le bras d'une main, me tenait par le col du chandail de l'autre. La douleur me contraignait à lui emboîter le pas.

— Où m'emmenez-vous ? Monsieur Steiner, aidez-moi, je vous supplie !

Le gnome me poussait, j'étouffais sous ce tissu rugueux. Je criais, trépignais. Des portes s'ouvrirent, se refermèrent, nous descendîmes un escalier. Ma détermination fondait à l'idée de me retrouver dans la cave. Mon geôlier me guidait d'une poigne ferme, sans agressivité. Au bruit, je sus que nous étions à la hauteur de la chaufferie, j'entendais ses trépidations.

Ensuite Raymond ouvrit et referma tant de serrures avec de lourdes clefs qui tintaient, traversa tant de couloirs humides, tant de tunnels qui tournaient où je devais marcher plié en deux que je fus

182

confondu. Était-il possible que les souterrains de cette ferme fussent si grands? Savoir que de belles emmurées avaient croupi ici et empli ces voûtes de leurs cris, de leurs larmes m'était odieux. Nous fîmes encore quelques pas le long d'une galerie assez pentue, je claquais des dents. Enfin Raymond me fit mettre à genoux et j'entrai à croupetons dans une petite salle aux relents d'humidité. Il m'ôta la cagoule et sans un mot referma la porte à clef sur moi.

Je repérai tout de suite la grosse horloge bombée au plafond qui diffusait une faible lueur dans la cellule. Le mécanisme en était détraqué et produisait ce vrombissement propre aux guêpes ou aux mouches qui vont mourir, tombent sur le dos, tournent en agitant leurs pattes. La lunette de l'appareil formait un gros œil qui m'observait : la caméra de surveillance devait y être insérée. Abandonné à ce crissement continu, dans cette atmosphère méphitique, je n'arrivais plus à régler ma respiration, j'inspirais trop vite sans prendre le temps d'expulser l'air, mon cœur s'emballait. Je m'assis sur une espèce de paillasse dont les tiges me piquaient les cuisses. Dans un coin se trouvaient une petite douche et des toilettes sommaires. Je n'osais regarder l'horloge de peur de vieillir sur-le-champ. J'appelais à l'aide, je n'entendais même pas ma propre voix, l'isolation était totale, et buvait les mots. Parfois une vibration ténue traversait l'air. La sueur ruisselait sur ma figure alors qu'il faisait au-dessous de zéro. Ce cul-de-basse-fosse formait comme une hernie de la pierre, une bulle d'air dans la masse minérale.

Peu à peu la panique me gagna. Je sombrai dans une tornade mentale qui emporta toute lucidité, tout esprit d'à-propos. Un spasme m'arracha les entrailles. J'eus à peine le temps de baisser mon pantalon et toute honte écartée, les intestins en débâcle, me lâchai à même le sol. Je rampai à l'autre bout du cachot, incommodé par ma propre puanteur. Je m'en voulais d'avoir refusé leur marché, j'en voulais surtout à Hélène. C'était sa faute après tout : elle avait aguiché le vieux, suscité la jalousie de l'épouse. Je demeurai là, prostré, dégoûtant, me bouchant les oreilles pour ne pas entendre la course des aiguilles, pour échapper à ce sablier fou qui me dévorait de l'intérieur, accélérait ma décrépitude. J'étais fichu. D'avance je capitulais, balayais toute notion d'honneur, de fidélité. Tout plutôt que de moisir dans ce trou.

Longtemps après, j'entendis le déclic d'une serrure qui s'ouvre. Le rayon d'une torche éclaira le bas du mur, quelqu'un renifla que je reconnus tout de suite. Je me ruai à quatre pattes sur mon sauveur.

— Monsieur Steiner, sortez-moi d'ici, je vous prie. J'accepte tout.

J'étais à genoux devant lui, dégageant un fumet épouvantable.

— Je suis désolé, dis-je, en désignant mon arrière-train.

Steiner qui n'était pas entré promena le faisceau de la lampe sur les parois, le braqua sur l'horloge.

— Chaque fois que je descends ici, j'ai le même sentiment qu'autrefois d'une mise au tombeau. Je comprends que tu aies peur.

184

Ce tutoiement inattendu, cette indulgence me tou-
chèrent. Il me prit la main.

— Tu ne méritais pas cette épreuve, ils ont été durs
avec toi. Il ne faut pas leur en vouloir. Francesca est
sur les nerfs : Hélène l'a presque défigurée, c'est
une coriace, celle-là. Et puis un vieux désaccord a
refait surface ces derniers jours : l'absence de beaux
gosses dans le Fanoir. Cette discrimination met
Francesca hors d'elle. La force des garçons les rend
plus difficiles à enlever et à garder. Nous devrons y
remédier d'une façon ou d'une autre. Enfin tu as
été grossier avec elle, tu l'as renversée délibéré-
ment.

— Je... je suis désolé.

— A la bonne heure, n'en parlons plus. Le plan est
le suivant : tu pars maintenant avec Raymond. Tu
feras à la lettre tout ce qu'il te dira. Souviens-toi; trois
jeunes filles en échange d'Hélène.

— Trois jeunes filles ? Oui... mais pourquoi trois ?
Il eut un petit rire de fond de gorge.

— Parce que ton Hélène en vaut trois et que tel est
notre bon plaisir. Maintenant suis-moi.

Pendant la remontée qui fut plus courte que l'aller
(Raymond, je le soupçonne, m'avait fait repasser plusieurs fois par les mêmes endroits pour m'effrayer),
Steiner eut la délicatesse de ne pas mentionner ma
disgrâce. J'allai prendre une douche dans un cabinet
de toilette attenant aux escaliers. Le maître me tendit
des vêtements propres qu'il avait puisés dans ma
valise. Il me prenait sous sa garde. L'eau chaude me
calma, fit cesser les tremblements. Toutefois le plus
dur m'attendait : avertir Hélène. Raymond me

185

conduisit au premier étage, ouvrit la porte à clef, la referma derrière moi. J'avais dix minutes pour les adieux.

Le cœur me manqua au moment de franchir le seuil. Ce que je vis me bouleversa : la pièce était dévastée, les draps et les couvertures arrachées du lit, les chaises et la table renversées, le tuyau du calorifère cabossé, le contenu de nos trousses de toilette répandu sur le sol. Deux carreaux de la fenêtre étaient brisés, les autres fendus. Une odeur écœurante de parfum planait sur ce carnage. Des éclats de verre brillaient sur le tapis. Recroquevillée dans un coin, Hélène pleurait. Du sang avait séché sur son menton. Sur son visage tendu, la peau était un drap qu'on aurait mis à sécher. Elle courut dans mes bras.

— Mon amour, mon pauvre Benjamin, ils ne t'ont pas fait mal au moins.

Son tic d'angoisse l'avait reprise, désagrégeant son incroyable jeunesse. Ses lèvres se hérissaient, sa bouche se contractait. Chose affreuse : je ne la voyais plus telle qu'elle était mais d'après le portrait-robot esquissé par Steiner. La simulation parasitait la réalité. Chez chacun de nous c'est toujours le dernier visage qui a raison sur les précédents. Je lui contai les principaux épisodes de l'après-midi, lui dévoilai le secret du Fanoir, dramatisai les événements. Elle répétait : c'est incroyable c'est inouï. J'abordai enfin la question du marché, lui en détaillai les termes, lui avouai dans un souffle mon consentement. Elle crut d'abord à un bluff de ma part.

— Tu as bien fait de gagner du temps, mon chéri,

tu as dû tellement souffrir. Mais tu restes avec moi, n'est-ce pas ?

Qu'elle me pose la question après le récit effroyable que je venais de lui servir m'anéantit. Je lui rétorquai que je n'avais pas le choix, qu'il me fallait obéir ou périr. J'avais la parole de Steiner que tout se passerait bien. Hélène se détacha de moi, laissa éclater sa colère.

— Ils mentent, Benjamin. Figure-toi qu'ils savent tout sur nous, où j'habite, quelles études je termine. Nous nous sommes précipités chez eux comme des mouches dans une toile d'araignée. Le hasard d'une nuit d'hiver leur apportait sur un plateau ce qu'ils doivent aller chercher à des centaines de kilomètres. Dès l'instant où tu as frappé à leur porte et divulgué le numéro de notre plaque minéralogique, ils ont pris des renseignements sur nous. Il y avait bien une ligne de téléphone en dérangement. Mais ils disposent d'un portable en parfait état de marche.

Sa voix s'élevait dans les aiguës à mesure qu'elle détaillait les preuves du piège.

— Tu ne me demandes pas pourquoi tout est cassé ici, comment je sais tout cela ?

Mon égoïsme la sidérait toujours.

— Dès que tu as eu le dos tourné, Francesca est venue dans la chambre où je faisais la sieste. Sa figure était une longue pénitence. Sans autre forme de procès, elle m'a tâtée comme un maquignon, examiné les dents et les cheveux. Je l'ai repoussée, elle m'a traitée de salope, de racoleuse. Les insultes ont dégénéré en empoignade. Elle exsudait la haine par tous les pores de la peau. J'ai pris tout ce que j'avais sous la main pour la bombarder. Tu as vu le coup que je lui ai porté sous l'œil gauche ; c'est avec la tranche la plus dure du Guide Michelin que je feuilletais pour savoir où nous dînerions ce soir. Un centimètre au-dessus et je lui crevais l'œil. Elle a battu en retraite, s'est reprise, m'a allongée d'une manchette sur la bouche. Avant de m'enfermer ici, elle m'a avertie.

« — Tu es finie, petite allumeuse, tu ne reverras jamais Paris.

Hélène tapait du poing sur ma poitrine pour appuyer ses arguments, sa joue gauche sautait, les muscles de sa face se raidissaient.

— Attends, ce n'est pas tout. Il semble que Steiner ait sincèrement voulu nous éloigner dès le premier soir. Il s'était entiché de moi. Mais le gnome a averti la Patronne qui a rappliqué dare-dare de Lyon et ils ont forcé le vieux à nous garder. D'où son humeur exécrable le lendemain. Quant à la mise en scène de cet après-midi, elle était parfaite : ils t'ont appâté dans la cave pour te mettre en tort. Ils ont effectué un faux départ ; Raymond a débarqué Steiner et Francesca derrière un talus et ils sont retournés à la ferme par une porte dérobée. Lui a continué, est allé chercher notre auto au garage. Steiner est descendu t'attendre à la cave, Francesca est venue directement à moi. Ils avaient jalonné le salon, les chambres, la cuisine de signes discrets pour t'attirer. Ils ont compris tout de suite certains traits de ton caractère. Ils nous auraient accusés de toute façon même si tu étais resté près de moi.

188

Hélène et moi disposions chacun d'une partie de la vérité et ce qu'elle dit me consterna.

— Benjamin, est-ce que tu comprends que nous sommes leurs otages? Nous ne pouvons leur faire confiance.

L'entêtement d'Hélène me rendait fou. Elle se tenait devant moi comme un vivant reproche. Que j'ai été manipulé ou intoxiqué ne changeait rien quant au fond : la supériorité de nos gardiens commandait de céder. Se révolter relevait du suicide. Ce que j'avais enduré dans le Fanoir me suffisait. D'une voix blanche je répétai à Hélène qu'il s'agissait d'un contrat, que je ne l'abandonnais pas. Je lui jurai qu'une fois les conditions remplies, je reviendrais. Je la serrai dans mes bras, elle me repoussa, me traita de gogo, de jobard. Sa tension explosa en grimaces, elle perdait le sens. Elle avait épuisé les ressources de la persuasion. Elle était d'une pâleur de mourante. Elle s'effondra en larmes à mes pieds, m'étreignit les jambes.

— Ne me laisse pas, Benjamin, je t'en supplie, ne pars pas.

Elle hoquetait.

Raymond entra à cet instant – les dix minutes imparties étaient écoulées – et nous sépara sans ménagement, défit les bras d'Hélène de mes jambes comme on défait les cordages d'un bateau. Elle se mit à rire, la situation devenait comique à force d'horreur. Son égarement se transforma en fureur : elle se jeta sur le domestique avec une vigueur que je ne lui connaissais pas. Il la repoussa une première fois sans efforts. Elle saisit le pied cassé d'une

189

chaise, fondit sur lui à nouveau. D'un bras, il me tirait dehors, de l'autre, il parait ses assauts. Elle le maudissait, le vouait aux gémonies, tentait de l'atteindre au crâne, elle était plus grande que lui. D'une détente de la paume et sans que j'aie rien pu faire, il l'envoya dinguer au fond de la pièce. La dernière vision que j'eus de ma maîtresse fut celle d'une poupée désarticulée qui s'effondrait, les yeux dilatés par l'épouvante. Indigné, je bousculai Raymond, criai : « Hélène, je t'aime, je reviendrai ». Le nabot m'ayant sorti sur le palier et fermé la porte à clef, se retourna sur moi, amortit les claques que je tentais de lui asséner, me fit tomber d'un croc-en-jambe, m'immobilisa d'une clef.

— Tu ne vas pas t'y mettre, toi non plus !

J'avais son faciès à quelques centimètres, son haleine m'arrivait, parfumée à la chlorophylle. Je me faisais rosser par un nain qui mâchait un chewing-gum. Derrière la porte, Hélène, qui avait retrouvé ses esprits, vociférait en frappant sur le chambranle :

— Je suis petite, moche, celluliteuse et en plus j'ai une culotte de cheval et de l'acné. Je ne remplis pas vos critères. Libérez-moi.

Francesca, arrivée sur ces entrefaites, me fit descendre quatre à quatre les escaliers. L'ecchymose sur sa joue s'étendait en étoile jusque sous l'œil, réveillait une vilaine couperose. Nous débouchâmes sur le porche de l'entrée. C'était la nuit. Une fine averse de flocons tombait. Le froid vif me dégrisa après la mêlée. La lumière argentait le jardin. Notre coupé était garé transversalement, déjà recouvert d'une pellicule blanche qui s'agglomérait en grains. Le cabriolet des Steiner tournait, moteur et phares allumés. Le Patron, bras croisés accoudé contre le capot, m'attendait, enveloppé dans un long manteau de cuir, les cheveux réunis sous le col relevé. Il dégageait une sérénité qui tranchait sur l'agitation des autres.

— Pardon Benjamin pour tout cet énervement. Ne craignez rien pour Hélène. Nous la soignerons comme notre propre fille. Vous aurez de ses nouvelles régulièrement.

Je fus déçu : ce protecteur aux larges épaules me vouvoyait à nouveau. Je rétrogradais au rang d'une simple connaissance. Il avait repris sa distance de franciscain retiré dans les montagnes. Mais sa poignée de main me réchauffa. Nous étions là tous les deux, paume contre paume, dans un cercle enchanté, devant cette maison maléfique qui nous rongeait l'âme. Un bruit de verre fracassé interrompit nos adieux. Là-haut Hélène entreprenait de tout démolir dans sa chambre.

— J'y vais, siffla Francesca.

— Surtout pas de brutalité, avertit Steiner.

Il m'avait volé les mots. Raymond s'était installé au volant, vêtu d'une chaude pelisse. Les bagages étaient déjà rangés dans le coffre. Steiner m'installa devant, me fit boucler ma ceinture de sécurité, me glissa un papier dans la poche, me tapota les joues.

— Courage, mon garçon. Nous aurons l'occasion de mieux nous connaître.

Tout s'était passé si vite que je ne parvenais pas à reprendre mes esprits. Depuis quelques minutes, au milieu des effusions du départ, une question se frayait un chemin dans mon cerveau. Je ne l'élaborai qu'au moment où nous démarrions.

— Qu'est-ce qui me garantit que vous la relâcherez ?

Mais la voiture était déjà partie dans un crissement de roues, laissant deux profondes balafres dans la neige. En guise de réponse, je vis Jérôme, par la lunette arrière, qui m'adressait de grands signes. Francesca ne m'avait pas dit au revoir.

Alors, tout ce qui était difficile ce matin redevint simple : les routes étaient praticables, les villages habités, nous croisions d'autres voitures, un chasseneige, un camion qui arrosait la chaussée de cristaux de sel. Dans un bourg aux réverbères allumés, je consultai le document que m'avait passé Steiner : il s'agissait du dessin d'Hélène vieillie de quarante ans. Je fondis en larmes, répétai « Pardon, Hélène, pardon ». Raymond me sourit avec une intensité de dément, un sourire qui me poursuivit même quand je fermais les yeux. Son visage laqué luisait telle une miniature chinoise. Mes sanglots redoublèrent, je reniflais. Il saisit une casquette de chauffeur dans la boîte à gants, s'en coiffa :

— A votre service, Monsieur !

Benjamin Tholon se tut comme si on avait coupé le son. Depuis quelques minutes sa voix n'était plus qu'un souffle. J'étendis mes jambes. J'étais ankylosée et presque transie. Je murmurai :

– Et après ?

Il me montra le ciel du doigt. L'aurore montait. Il ferait jour d'une minute à l'autre. Les premiers oiseaux s'ébrouaient. On entendait sur la place du parvis les motopompes laver le bitume à grande eau et lâcher leurs jets. Les cloches de Notre-Dame sonnèrent 5 heures et tout le peuple des églises lui répondit d'une rive à l'autre. Une colombe roucoula.

– Vous ne voulez pas continuer ?

Non, il en avait assez, il désirait dormir un peu avant la visite du médecin. Son masque, dont la coque jaunissait sous l'effet de la salive, ressemblait à un pansement posé sur une blessure. Avec son bonnet de laine, il avait l'air d'un skieur en pyjama égaré en plein été. Il était vaguement répugnant.

– Quand verrai-je votre visage ?

Il se caressa les lèvres comme il aurait touché une cicatrice.

– Quand j'aurai fini de vous raconter cette histoire.

– Quand finirez-vous ?

– Bientôt.

– Vous savez que ma garde se termine demain soir. Nous avons un contrat nous aussi.

Devant l'entrée du service de médecine générale

quelques malades sirotaient déjà un café, bavardaient en fumant sur la terrasse. Le jour rasant allumait sur les toits toute une foule de flèches, de pignons, d'antennes. Une attente était suspendue au-dessus de la ville. Le passage de Benjamin souleva des ricanements, des regards étonnés. J'eus un pincement en le voyant disparaître dans le couloir, tassé et diminué.

Je fus tout à coup anéantie, étonnée d'avoir pu passer plus de deux heures sans penser à Ferdinand. Tant que j'étais suspendue aux lèvres de Benjamin, rien ne pouvait m'atteindre. J'allai me coucher au moment où le ciel décoloré hésitait entre le soleil et la pluie. Ce noir à l'horizon pouvait être un lambeau de nuit qui partait autant qu'une barre de nuages. Dans le lit, je retrouvai Aïda, roulée en boule, la moitié du visage enfoncé dans l'oreiller, les bras joints entre les jambes pliées. Elle s'était découverte jusqu'à la taille, elle avait la chair de poule. Ainsi couchée, elle semblait tellement vulnérable. Elle était redevenue toute petite. Je me déshabillai, me lovai près d'elle, nous recouvris d'une fine couverture. Une mèche de cheveux reposait, collés sur son front, que je dégageais. Doucement, je la retournai, la pris contre moi. Son souffle régulier caressait mon cou. Ses oreilles étaient des coquillages à qui j'avais envie de raconter de merveilleuses histoires. Elle exhalait ce délicieux parfum des bambins assoupis, un mélange de chaleur et de lait. Ses membres étaient d'une finesse d'insectes. Une langue rose pointait entre ses lèvres, ses longs cils vibraient. Elle était l'enfance incarnée, cette

194

troisième humanité avant la division fatale du masculin et du féminin. Elle n'était pas comme nous
stupides adultes, programmée.

Je l'embrassai sur les paupières, la serrai tendre-
ment. (« Que vais-je faire de toi, petite orpheline ? ») Je priai pour qu'aucun fâcheux ou désespéré ne se manifeste. Une heure plus tard, je
m'éveillai sous le coup d'une interrogation : Benjamin avait-il vu de ses yeux la prisonnière du
Fanoir ? Images et vidéos ne prouvaient rien. Je
replongeai dans le sommeil.

TROISIÈME PARTIE

Le pacte de chair

A mon arrivée le lendemain, vers 17 heures, à
l'hôpital pour ma dernière nuit de garde, j'eus une
mauvaise surprise : Benjamin Tholon était parti
comme il en avait le droit. Il avait signé une décharge,
quitté sa chambre. Pire encore : il avait ôté son
camouflage, son masque et son bonnet, les abandon-
nant sur une chaise. Je hurlai :

— Avez-vous au moins une photo de lui, de quoi
a-t-il l'air ?

— Il a l'air le plus normal qui soit.

— A-t-il un défaut, une marque, une cicatrice ?

— Non, il est comme vous et moi.

— A-t-il laissé une adresse, un téléphone ?

— Aucun : c'est un sans domicile fixe.

— Pourquoi ne pas m'avoir prévenue avant de le
laisser filer ?

— Mais ce malade ne vous appartient pas !

J'étais comme folle : il m'avait bernée avec son travestissement. Si j'avais pu ressortir et arpenter Paris
de long en large ! Mais je ne savais même pas à quoi il

ressemblait. *Je pris le masque et le bonnet, les humai
et les fourrai dans ma poche. J'avais envie d'insulter
l'humanité entière ; il est des récits qui vous diver-
tissent, d'autres qui déchirent votre vie en deux. Celui
de Benjamin était de cette nature. Cet émissaire d'un
royaume énigmatique m'avait contaminée de son
secret. Alors que j'allais connaître le dénouement, il
me laissait en plan, suspendue au bord de l'abîme.
Son histoire me calmait, faisait contrepoids à l'ombre
démesurée de Ferdinand. Benjamin évaporé, je rede-
venais la pâture du premier. Et je voyais déjà arriver
la meute bruyante et impérieuse des tourmentés,
pressés de déposer leurs saletés dans mes oreilles.*

*Dans un sursaut d'hygiène mentale, je décidai de
démolir mon amant, de le mettre en charpie afin de
trancher les derniers liens qui nous attachaient. J'étais
pareille au renard qui, pris dans un piège, se ronge la
patte pour recouvrer sa liberté. J'entendais, par le
seul exercice de ma volonté, tuer mes sentiments.*

*Non content de sauter sur n'importe quel jupon,
Ferdinand ne manquait pas une occasion de me
rabaisser. Si aimer, c'est montrer ses faiblesses sans
que l'autre en profite, Ferdinand à l'inverse en usait
pour me déchiqueter sans pitié. Dans une discussion
entre amis, à la moindre de mes objections, il me coupait : tu ne peux pas comprendre, tu n'es pas une
artiste. Il considérait goguenard mes ouvrages de psychiatrie, de médecine : tu crois que ce charabia sert à
quelque chose ? Si j'introduisais par malheur une
notion clinique, il m'interrompait : Mathilde, s'il te
plaît, pas de jargon. Il prenait les autres à témoin de
ma pédanterie. Au début, quand je le fascinais*

encore, il organisait ce qu'il appelait « *l'opération désensorcellement* » : il chaussait des lunettes à double foyer, me plaçait sous une lampe et contemplait mille fois grossis les pores de ma peau, des rougeurs, des défauts qui le rassuraient. Il me décortiquait plan à plan. « *Les plus jolies créatures, disait-il, sont celles qu'on n'a pas bien vues : aucune ne résiste à ce type d'examen.* » Ou encore il me jetait ma stérilité au visage : « *Tu fais de la psychiatrie parce que tu ne peux pas avoir d'enfants !* »

Un jour j'ai compris : prendre la pose de l'esthète n'était pour lui qu'une manière de me clore la bouche. Il avait développé à la perfection l'art de faire croire qu'il valait plus qu'il ne paraissait. Dans les dîners, il se vantait parfois d'être bouddhiste, invoquait le patronage d'un obscur lama dont il célébrait la sagesse, la perspicacité. Il arborait le sourire de qui frôle la sérénité. Vous avez remarqué que les bouddhistes sourient toujours ? A d'autres moments, il se disait écartelé, apatride alors que sa mère était de Limoges et son père de Lille. Il aspirait à la dignité d'exilé comme à une sorte de Légion d'honneur. Et toujours sa volonté puérile d'être à part, de ne pas faire comme les autres, les « veaux » englués dans le système.

Quand il jouait sur scène, il bégayait et ce trébuchement que j'avais ignoré pendant les premiers mois, je le lui lançais au visage comme un handicap. Je l'adjurais de consulter un orthophoniste, d'entreprendre une thérapie. Je reprenais de l'ascendant en qualité de médecin et cela le diminuait. Plus j'insistais, plus sa langue s'embourbait, butait sur les premières syllabes

201

et c'était pitié que de le voir s'enliser ainsi. Ces derniers temps, je me délectais de son malaise, je soulignais sa gaucherie sur les planches, je lui cachais les talonnettes qu'il portait pour se rehausser – il se trouvait trop petit –, j'insistais sur son âge, 36 ans, alors qu'il n'avait pas encore percé, que son nom ne dépassait pas le cercle très confidentiel des cafés-théâtres.

— Tu ne travailles pas, tu cachetonnes, tu fais des voix, des doublures. Quand décrocheras-tu un vrai rôle ?

Je creusais la plaie :

— Tu ne laisseras d'autres traces dans l'histoire que des traces de sperme dans le lit de tes maîtresses.

Je me régalais de sa gêne. Il avait eu le tort d'ouvrir les hostilités, estimant qu'une certaine cruauté aiguise l'âme, épice le quotidien. Dès que j'avais retourné cette férocité contre lui, il avait perdu pied. Le couple est la capitalisation des griefs que chacun fait payer à l'autre avec intérêts. Il me parlait extravagances sensuelles, romantisme noir et me laissait son pantalon à repasser pour la prochaine représentation !

Son lyrisme qui m'avait impressionnée jadis se réduisait à un bel amas de platitudes. J'étais tombée de haut le jour où l'un de ses amis, éméché, m'avait dévoilé la stratégie de Ferdinand pour aborder les filles. Il apprenait par cœur poèmes, citations, histoires drôles qui lui donnaient auprès des jeunes filles un air de profondeur trompeuse. Ainsi les phrases plutôt brillantes qu'il m'avait décochées la première fois et que j'avais cru improvisées pour l'occasion non seulement n'étaient pas de lui mais servaient depuis des années avec d'autres. Il cumulait les fiches, les

« anti-sèches ». *Tu m'as trompée, Ferdinand, tu n'es qu'un tricheur, tu brilles d'un éclat emprunté et tes vieux numéros me fatiguent.*

Comme la veille j'étais à cran, furieuse de constater que mon amant, même piétiné, restait fiché dans mon cœur, me séquestrait à l'air libre. Je me promis d'intercaler entre nous toute la tribu de mes patients. Il me restait quatorze heures avant de quitter l'hôpital durant lesquelles j'allais me conduire en sainte à défaut de faire la putain. Mes vœux furent exaucés : dès la fin de l'après-midi, tous les tordus de la capitale affluèrent, titubant de solitude et de chagrin. Ils se pressaient vers les urgences en une foule suppliante, jaillissaient des murs de Paris comme la moisissure du fromage. Ils étaient bruyants, agressifs, surexcités, sinistres dans leur déglingue. Ils ne manifestaient à mon égard aucune considération; je leur devais mon temps, ma jeunesse, mon énergie, ils trouvaient normal que je me dévoue à ces basses besognes. Internes, généralistes, infirmiers, nous ne suffisions pas à éponger cette marée de détresse. Le taux de souffrance était presque perceptible, on aurait pu le mesurer tel le taux de pollution sur Paris. Les pathologies évoluaient avec la soirée, à chaque heure semblait correspondre un détraquement particulier. Consciente d'être indigne de ce métier, je repris mes écouteurs que je dissimulais sous mes cheveux, cachant les fils dans le col de ma blouse. Le malade me parlait comme derrière une vitre, j'attrapais quelques mots juste pour avoir l'air de suivre. Ses yeux imploraient la pitié, l'intérêt. Je riais en moi-même : si tu savais ce que je m'en fous ! La musique crée un monde où je peux échapper aux autres. Et la musique de Bach est plus belle que les gémissements des hommes.

J'eus un passage à vide, un accès de nausée, n'ayant rien mangé depuis le matin. Moi qui allais au travail non fardée, de peur que ces apprêts ne me nuisent, je fus prise d'une brutale envie de maquillage. Mais j'eus beau cumuler coups de blush sur touches de couleur, rien n'y fit. Je me trouvais fade, quelconque. Notre visage nous échappe : quand nous l'oublions, il se lève soudain comme une aurore ; quand nous croyons le contrôler, il se rétracte, se fripe. Je m'enfuis dans la cour : la chaleur était compacte, un orage allait éclater d'un moment à l'autre. Ambulances et cars de police se succédaient sans trêve. J'étais inconsolable du départ de Benjamin, j'avais perdu mon narrateur et le fil du récit.

Pour me conforter, j'appelai Aïda chez une voisine qui la gardait quelque temps en attendant de la remettre à la brigade des mineurs. Cette petite fille était la seule belle chose qui me soit arrivée depuis trois jours. Au téléphone, je la sentis intimidée. Je lui donnai des nouvelles de sa grand-mère : la vieille dame présentait des symptômes prédémentiels doublés d'une désorganisation motrice et devait rester internée. Les complications se profilaient : Mme Boeldieu, c'était son nom, se trouvait ruinée, son appartement dans le Marais plusieurs fois hypothéqué par des organismes de crédit. Le désordre psychique avait aggravé la débâcle financière. La saisie était imminente. Aïda que je connaissais à peine depuis vingt-quatre heures se retrouvait soudain privée de toute famille, de toute substance. Elle n'avait plus un parent vivant, risquait d'être placée en institution. Elle avait surgi dans ce mois d'août étouffant tel un miracle et maintenant elle sanglotait dans le combiné, suppliant qu'on lui rende sa grand-mère. En médecine comme dans le reste, on préfère toujours certains affligés à d'autres; mais j'étais au-delà de l'épuisement et de la compassion. J'avais vieilli de deux siècles, je n'avais pas la vocation du Bon Samaritain. Pardon, Aïda, ne pleure pas, je ne peux rien pour toi. Je promis d'aller la voir le lendemain et raccrochai.

Vers minuit la tension monta d'un cran. La salle d'attente ressemblait à un capharnaüm. De petites crevures aux joues creuses, des drôlesses décavées crachaient leur haine de la société et insultaient les flics. Un jeune toxico d'une maigreur impressionnante accompagnée d'une fille aux gencives noires hurlait : « Je t'encule, pétasse, je te suce » sans que l'on sache s'il s'agissait d'une supplique ou d'une menace. Des misérables tournaient en rond, traînant un semblant de vie, des ensanglantés effrayaient les autres avec leurs plaies purulentes. Sept jeunes Chinois venaient d'être amenés, menottes aux mains, pour un examen radio : on les soupçonnait d'avoir avalé de l'héroïne stockée dans des préservatifs. Dehors, sur le parvis de Notre-Dame, face à une cargaison de poissardes vautrées sur un banc, un vieux dégueulasse, à demi nu dans ses guenilles, haranguait la planète. Une bougresse dansait autour de lui, jupes relevées, en balançant à la main un pansement presque noir. Les policiers, qui avaient dans l'après-midi incarcéré un truand blessé par balle à la salle Cusco, la prison-

hôpital interne à l'Hôtel-Dieu, flairaient dans cette gueuserie comme un parfum d'émeute et redoublaient de vigilance. Les rayons rouge et bleu des gyrophares balayaient la cour, des civils en imperméable sillonnaient les couloirs, chuchotaient dans des talkies-walkies qui grésillaient.

Je fus l'une des rares à n'éprouver aucune frayeur. C'est l'avantage des grands bouleversements : ils inhibent les émotions habituelles, font paraître dérisoire ce qui terrifie le commun des mortels. J'étais ravie au contraire : puisque j'allais mal, que tous aillent mal avec moi. Et si l'on m'avait dit qu'un groupe de désaxés arrosaient les malades d'essence pour les brûler vifs, poignardaient chirurgiens et infirmiers, je n'aurais pas cillé. Je leur aurais prêté main-forte. Pour couronner le tout, quatre prostituées blessées dans une querelle avec des supporters madrilènes d'un club de football furent admises vers 1 heure du matin. Elles entrèrent en matamores, claquant des talons, couvertes de coupures et d'hématomes. Elles gardaient fière allure, avaient mis leurs assaillants en fuite avec des chaînes de vélos et des godemichés emplis de billes de plomb. Corsetées dans des shorts trop étroits, précédées de poitrines de chair blême et tremblotante, elles étaient moins des femmes que de sévères divinités, des colosses du sexe qui devaient vider leurs victimes d'un coup de reins. Je les observais avec une certaine admiration, me demandant pourquoi je n'avais pas suivi cette carrière, pourquoi je n'étais pas une catin farcie de sperme sur laquelle des hommes de tous âges, de toutes conditions, se soulageraient en poussant des grognements de pour-

ceau. Fusils en bandoulière, les gardiens de la paix paraissaient désarmés face à ces ouvrières du plaisir qui prodiguaient le soulagement à peu de frais. Pansées, nettoyées, recousues, ces dames prirent un verre avec les infirmiers, tirant sur des cigarettes américaines au bout de longs fumoirs en nacre, riant bruyamment avant de repartir au front.

Au total la nuit passa et il ne se passa rien sinon des bombements de torse et des accès de nervosité. L'orage éclata enfin, noyant mes dernières velléités de révolte. Une pluie torrentielle, spongieuse comme de la bière, s'abattit sur l'île de la Cité, décoiffant les arbres, décapitant certaines cheminées et antennes de télévision qui pendaient comme râteliers arrachés à leurs mâchoires. Je musardais dans l'hôpital, évitant les agents de sécurité, espérant toujours qu'au détour d'un escalier ou de derrière une porte surgirait mon petit malade avec ses mots à lui et sa voix ténue. J'étais blessée qu'il m'ait trahie ; tout me semblait moins important que sa confession. En quarante-huit heures à peine mon centre de gravité s'était déporté au cœur de son récit et chaque personnage de ce dernier m'habitait de façon plus intense que les êtres humains autour de moi. Je ne voulais pas réintégrer ma chambre, dormir dans ce lit où Aïda n'était plus. A l'aube, j'allai m'accouder au cinquième étage, sur la rambarde de la galerie extérieure, encore détrempée, qui dominait le jardin et donnait sur Maubert et la montagne Sainte-Geneviève. Les toits grimpés les uns sur les autres étaient des coques de bateaux renversées, luisantes, échouées à marée basse sur une grève. Il bruinait, la température avait baissé, la tour Eiffel

207

évoquait dans le brouillard un parfait au café. Je m'endormis à même des marches d'escalier; un gros matou aux yeux clairs constellés de paillettes, à la queue en point d'exclamation, vint se blottir contre moi. Nous avions tous deux besoin d'affection.

A 7 heures 30, ma garde était finie. Je fis mes adieux, certaine que personne ne me regretterait. Je me sentais ridicule d'avoir paniqué à ce point. Je pouvais partir sur-le-champ à Antibes rejoindre Ferdinand et lui dire en face, dans une belle envolée hystérique, que tout était fini. Mais j'ai les disputes en horreur. Certaines femmes sont attirées par les êtres déséquilibrés. Elles aiment non pas l'autre mais l'égarement qu'il représente et trouvent leur satisfaction à jongler au-dessus du précipice.

J'errais sur le parvis souillé d'ordures, les caniveaux avaient débordé après la tornade de la nuit. J'étais rompue, hagarde, dans un état d'exténuation où j'en oubliais que j'existais. Je devais avoir l'air d'une clocharde avec mon baluchon à demi ouvert, mon maquillage en déroute. Les touristes convergeaient déjà en bataillons disciplinés devant la cathédrale, mitraillaient la façade avec une docilité unanime. En short ou bermuda, ils attaquaient les lieux saints avec détermination, le doigt sur la gâchette de leur caméra, prêts à prendre Dieu en flagrant délit. Le touriste ne croit aux choses qu'après les avoir transformées en clichés.

J'allai faire quelques pas sur les quais couverts d'urine et d'excréments. La Seine, gluante, presque visqueuse, clapotait contre les arches, la puanteur était suffocante. A Paris, il y a toujours un être *incontinent pour mettre ses intestins à la disposition de tous : égout déguisé en joyau, la Ville lumière a inventé le communisme de la déjection. Je trouvais, endormis sous les ponts, dans des cartons ou des couvertures de fortune, les réprouvés qui venaient se faire soigner à l'hôpital. Finalement, ils allaient me manquer. Je remontai prendre un crème et un croissant dans un café proche. Le souffle tiède de la brise caressait l'épiderme. Les oiseaux tiraient d'incroyables symphonies de leurs minuscules gosiers, les arbres résonnaient de leurs pépiements, et quand ils s'égayaient, l'arbre s'envolait avec eux. Les balayeuses automatiques bombardaient la chaussée de jets drus et il faisait bon respirer l'asphalte mouillé.*

En huit ans de vie parisienne, je n'étais jamais entrée à Notre-Dame, elle n'était pour moi qu'un mausolée voué aux guides, un fragment du grand musée universel. Je n'aime pas les chefs-d'œuvre convenus. Ce matin-là pourtant, un détail me retint dans la vieille chose : on la toilettait, sa partie supérieure disparaissait sous un échafaudage dont les bâches claquaient au vent avec des effets dramatiques. Ainsi emmaillotée elle paraissait étrangement fragile, en butte à toutes les attaques du temps. Même les diables, les chimères, les gargouilles qui crachaient leur fiel n'étaient que rêves d'enfants contrariés à côté de ce que je voyais en un seul jour en consultation. Je ne pouvais quitter l'île de la Cité sans y aller au moins une fois.

Dès que je franchis le seuil, je fus saisie : la cathédrale avait la noirceur d'une crypte et j'avançais dans une forêt de colonnes au fût énorme. J'exami-

nai la nef centrale, les bas-côtés, le chœur, n'entendant rien à cette architecture. *Les rosaces me semblaient des messages codés où chaque couleur, chaque trait figuraient un symbole à l'usage des initiés. Contrairement à ce que je pensais, ce lieu n'était pas solennel mais intime. Son immensité protégeait la liberté de chacun, les bruits de la foule mouraient absorbés par la verticalité. Je pris place sur une chaise, au milieu d'une travée, dans un coin tranquille, fermai les yeux et respirai une odeur composite d'encens, de pierre humide et de vieux bois. Les flammes des cierges condensaient autour d'elles tout un recueillement. Les statues de saints dans leurs niches m'adressaient des signes de connivence. Croyaient-ils que j'allais succomber ? Pas de prosélytisme, messieurs, je suis ici pour me détendre. Des hommes en noir s'affairaient autour de l'autel, déplaçant des fleurs, des objets en or ou en argent, versant des liquides dans des coupes. Quelques vieilles femmes priaient, la tête inclinée entre les mains. Je fermai les yeux, respirai doucement. Je me purifiais des laideurs de la nuit.*

C'est alors qu'on chuchota derrière moi.

— *Docteur Ayachi, ne vous retournez pas, je vous prie.*

Je sursautai, me croyant déjà visitée par un ange.

— *Benjamin ?*

— *Je suis assis juste derrière vous.*

— *Comment...*

— *Je vous guettais ce matin à la sortie de l'hôpital. Je vous ai suivie jusqu'ici.*

— *Pourquoi être parti hier sans m'attendre ou me laisser un mot ?*

210

— *Je me suis affolé, j'en avais trop dit. J'ai eu peur que vous ne me dénonciez à la police.*

— *La police ?*

J'étais outrée.

— *Comment avez-vous pu imaginer une chose pareille ?*

— *Je sentais votre désapprobation de façon tangible.*

— *Vous n'y êtes pas du tout, j'étais passionnée au contraire. Et votre masque pourquoi l'avoir enlevé ?*

— *Tout à coup, cela n'avait plus de sens de le garder. Vous parler m'a transformé.*

— *Je peux vous voir ?*

— *Non pas tout de suite.*

— *Mais alors quand ?*

— *Je dois terminer ce que j'ai commencé. Maintenant j'ai confiance en vous.*

— *Écoutez, je ne suis pas un pantin qu'on siffle ou qu'on révoque à volonté. Je suis très fatiguée, je ne sais pas si...*

— *Je vous en prie, c'est très important pour moi, je n'en aurai pas pour longtemps. Restons ici, nous serons plus tranquilles.*

Et sans me laisser le loisir de rétorquer, il enchaîna.

DÉCIBELS ET COHUE

Me voilà donc seul à Paris avec Raymond, privé de mon Hélène, orphelin de l'unique personne qui ait

Les voleurs de beauté

jamais pris soin de moi. A peine arrivé dans le sinistre appartement du 17ᵉ arrondissement, aux longs couloirs sombres, que Steiner nous avait pris pour l'occasion, je tombai malade. L'endroit était glacial, impersonnel. Des radiateurs anémiques ne parvenaient pas à réchauffer des chambres trop vastes. Les planchers aux lattes disjointes craquaient. J'avais toujours froid. D'épais rideaux devant les fenêtres cachaient la lumière. Il faisait noir même à midi. Je dus m'aliter et trois semaines durant me débattre contre la fièvre, les crampes, les douleurs abdominales. Je gisais démoralisé, en état de prostration, essayant de comprendre ce qui venait de m'arriver. Mille fois je revécus en pensée les trois affreux jours où ma vie avait basculé, où le sort avec une malignité infernale s'était acharné sur moi. J'avais sombré dans un gouffre dont je ne voyais pas l'issue.

Raymond, je le reconnais, me soigna bien. Il veillait à mon chevet jour et nuit, me prodiguait sirops, bouillons et cachets. Il n'avait pas fait appel à un médecin pour raisons de sécurité. Jérôme Steiner l'appelait le soir à 18 heures pile sur un portable pour lui délivrer ses ordres et donner des nouvelles d'Hélène. Je n'avais pas le droit de parler à cette dernière personnellement mais nous communiquions par cassettes : chaque samedi je recevais sous pli cinq minutes enregistrées de ma maîtresse et lui envoyais par retour du courrier cinq autres minutes. J'écoutais avec délectation ces messages évidemment soumis à la censure, je les apprenais par cœur et la douce voix de mon Hélène me permettait de

212

tenir. Selon son intonation j'en déduisais la sérénité ou le découragement. Elle logeait sous les combles du Fanoir, dans une pièce insonorisée et sans fenêtres où elle était bouclée. Tous les deux jours, elle avait droit à dix minutes de promenade, à la nuit tombée, derrière la ferme, sous la surveillance de Francesca. A l'en croire, elle ne m'en voulait pas, attendait mon retour et remplissait ses journées à lire les ouvrages que lui prêtait Francesca. Elle me disait par exemple :

« Mon Benjamin, je fais du gras à force de rester au lit. Tu vas retrouver une petite femme toute potelée. Je m'inquiète pour toi. Comme je m'en veux de t'avoir entraîné dans cette affaire. Ta mauvaise santé me soucie. Je voudrais être là pour te cajoler. »

Toutes ses missives avaient pour but de me disculper. J'avais honte de l'avoir abandonnée là-bas, sur le plateau désolé au milieu des glaces, vouée par ma faute aux caprices de ces deux fanatiques. Plusieurs fois j'avais tenté de la joindre directement par téléphone. Immanquablement Steiner ou Francesca décrochaient et me rembarraient. J'exigeais, je piaillais.

— Ne faites pas l'enfant, Benjamin. Vous savez que ce n'est pas possible. Si vous voulez lui parler, utilisez le magnétophone.

Raymond, qui avait confisqué les clefs d'Hélène, se rendait dans son appartement, ouvrait le courrier, écoutait le répondeur, payait en imitant sa signature les principales factures afin que nul ne s'étonne de son absence. Il avait aussi résilié le deux-pièces que m'avait loué Hélène dans le Marais et déménagé mes affaires dans la chambre du 19ᵉ arrondissement que j'avais gardée par précaution. Il savait tout de nous jusqu'à notre groupe sanguin et notre numéro de Sécurité sociale. Pendant des semaines je caressai des rêves d'évasion, songeai à tous les moyens d'arracher Hélène aux griffes de ces monstres. Mais j'étais enfermé à clef dans une pièce au sixième étage, je ne pouvais faire un pas sans être suivi par mon gardien. Je pris donc mon parti de la situation, je n'avais d'autre choix que de m'incliner.

Une fois que je fus rétabli, Raymond m'expliqua ce qu'on attendait de moi : l'aider à trouver dans Paris trois jeunes femmes exceptionnelles dignes de subir l'épreuve du Fanoir, l'accompagner dans tous les lieux publics, bars, restaurants, boîtes où pullule ce genre de personnes et collecter ensuite sur chacune des informations. Nous avions adopté un langage codé : il ne fallait plus dire les femmes mais « les spécimens », parler non de la beauté mais du « Fléau ».

Ce fut un labeur harassant : le gnome et moi sortions vers l'heure du déjeuner, nous promenions, caméscope et appareil-photo à la main, tels des touristes, filmant à leur insu les visages intéressants que nous croisions. Raymond écrivait sur un calepin l'heure, le lieu, esquissait un rapide descriptif de l'inconnue, de son habillement, de son âge, de sa profession présumée. Si nous avions pu capter quelques bribes de sa conversation, il les notait aussi. Il développait ensuite les films en chambre noire, me demandait mon avis : j'étais incapable d'évaluer les êtres comme du bétail qu'on va marquer. Le valet envoyait ensuite par Chronopost à ses patrons les photos des candidates pressenties : ceux-ci procédaient à un premier tri, retournaient les clichés annotés dans les marges. Je les imaginais, les deux toqués, enterrés sous la neige, chaussant leurs lunettes pour examiner chaque prise de vue, inscrivant leurs appréciations tels des examinateurs, exigeant pour le prochain courrier une plus ample moisson de mignonnes. Raymond et moi étions priés de rassembler de nouveaux renseignements sur les postulantes admises dans la deuxième sélection.

Ma métamorphose de sédentaire en chasseur fut douloureuse. J'étais réquisitionné jour et nuit. L'après-midi nous lambinions par les rues, bivouaquant de café en café à chercher de nouvelles têtes, pareils à deux malfrats mijotant un mauvais coup. Le soir à 11 heures, après un copieux dîner, Raymond m'extirpait de mon fauteuil, m'habillait, me coiffait, commandait un taxi et me jetait dans la gueule grande ouverte des dancings. J'ai toujours détesté ces endroits de mesquines débauches où les populations mâles et femelles viennent se renifler avant de s'acoquiner. Ce sont des cachots où l'on me torture par les décibels et la cohue. J'y descends avec effroi, terrifié par le grondement de bête hostile qui sourd des murs, asphyxié par la transpiration des corps qui s'agitent. Devant le barrage humiliant des videurs, le ricanement des coquettes aux grâces affectées, aux jupes trop courtes, j'étais pris de panique. Je voulais rebrousser chemin. Raymond m'obligeait à entrer.

— Dansez, ordonnait-il, ayez l'air dans le coup. Vous êtes en service commandé.

Il me poussait littéralement sur la piste. Nous avions eu beau l'après-midi répéter quelques mouvements sur un air de rap ou de techno, nous inspirer des vidéo-clips diffusés à la télévision, je n'étais pas doué. Évoluer au milieu de ces mâles agressifs, de ces femelles sournoises m'était un supplice. Je ne dansais pas, je sautillais : chaque morceau de mon corps menait sa vie à part sans souci d'harmonie. L'essentiel, me faisait comprendre Raymond, n'est pas de briller mais de participer, d'être un anneau de la chaîne, un fragment de ce grand animal collectif qui tressaute et halète dans une atmosphère surchauffée. Je devais me glisser dans la peau d'un fêtard timide, tout encombré de sa gaucherie, me fondre dans le paysage, me rendre familier et inoffensif.

Quand je m'étais bien dandiné, Raymond m'essuyait avec un mouchoir, me faisait boire un jus de fruit avant de me renvoyer sur le ring. Je m'insurgeais : pourquoi ne pas nous poster plutôt devant les agences de mannequins et leur emboîter le pas ? Raymond donnait toujours la même explication : c'est dans les clubs que les « spécimens » des deux sexes viennent s'exhiber, c'est ici qu'il faut les traquer. D'habitude, il effectuait ce travail avec la Patronne en tandem. En vérité, comme je l'appris plus tard, ces sorties nocturnes ne répondaient à aucun souci d'efficacité. Il fallait me tenir occupé à tout prix, tels étaient les ordres.

Je me résignais donc à stationner dans ces lieux de plaisir où je n'avais que du chagrin, je me frottais malgré moi à la canaille de la nuit. L'énergie de ces jeunes gens imbibés de substances diverses et qui se déhanchaient sur des sonorités barbares m'épuisait. J'étais déjà trop vieux, je l'avais toujours été. La jeunesse est un rythme que je n'ai jamais su capter même lorsque j'avais 20 ans. Ma chasteté, je l'ai dit, me rendait plus sûr qu'un eunuque, éliminait le risque que je me serve sur le tas. Des habitués, constatant ma maladresse, voulurent me prendre en main, me « mettre au parfum » : gamins gouailleurs et bons danseurs, toujours sur le qui-vive, à qui le culot servait de charme et pour qui l'exploit amoureux ne valait que relayé et propagé par un témoin. J'étais leur barde, leur chroniqueur qui allait conter partout leurs hauts faits. Mon insignifiance me valait leur sympathie. Je recueillais donc plus de confidences que n'importe qui. Devant moi ces bambocheurs se « lâchaient » et me livraient des fiches détaillées sur chacune des luronnes qui hantaient les parages. Tandis que la musique haletait et que des phalanges de gommeux, conduits par un rut primitif, se regroupaient autour de la piste, tels des vautours sur une palissade, mes informateurs, infects d'indiscrétion, multipliaient les détails scabreux ; jusqu'à l'inévitable célébrité locale, petite actrice, chanteuse ou modèle dont j'apprenais révulsé qu'elle gonflait les joues en jouissant comme si elle soufflait sur une soupe trop chaude.

Ce ramassis de fauves débiles, de pirates en quête de chair fraîche me répugnait ; mais grâce à leur forfanterie, je rassemblais un grand nombre de données qui facilitèrent notre enquête. Et je continuais pour cette raison à faire risette à la vermine mondaine.

217

Une fois que nous avions localisé trois ou quatre « spécimens » qui surpassaient tous les autres, Raymond, déguisé en photographe, s'arrangeait pour en faire quelques clichés au hasard. Nul ne s'en formalisait : une jolie femme a toujours mille occasions d'être prise en photo. J'étais chargé ensuite de filer chacune d'elles, d'obtenir son adresse, son téléphone, de repérer ses proches, un éventuel fiancé ou amant. Je planquais des heures, transi de froid sous une porte cochère ou dans la pénombre d'une impasse, redoutant qu'un passant ne m'arrête, ne me flanque une correction. La monotonie du travail me fatiguait plus encore que sa dureté. J'étais un piètre limier, et je ne voyais pas de quelle utilité je pouvais être pour les Steiner. Les rares trouvailles glanées au cours d'une journée ne compensaient pas les moments d'attente ou d'inaction. Quand la pluie s'en mêlait, je grelottais sur pied, implorant muettement Hélène, la suppliant de me pardonner, de ne pas m'oublier. A force de faire le guet, je m'enrhumais, pensais à celle qui m'avait fait une vie de prince et que j'avais trahie. Je revenais de ces traques crotté, épuisé, dégoûté du rôle qu'on me faisait jouer, celui d'un rabatteur pourchassant des innocentes afin de les enlaidir. Seule la pensée que j'agissais pour retrouver Hélène me donnait du cœur au ventre. Et je faisais le dos rond, attendant l'heure de la délivrance.

Raymond me cornaquait, m'apprenait les ficelles du métier. En cas de difficultés, il avait recours aux services d'un pickpocket qui subtilisait les papiers d'une jeune fille précise, les photocopiait et les restituait ensuite. Tendre des pièges, suivre des pistes, épier des femmes constituait le passe-temps favori de mon gardien. Dans ce domaine, il faisait merveille. Cet être insignifiant possédait une capacité de transformation qui m'époustouflait. Farfadet bondissant, il surmontait tous les obstacles. Il disposait à la maison d'une panoplie de costumes empruntés aux différents corps de métier, essayait des postiches, des fausses moustaches. Dès qu'il s'agissait de forcer la porte d'une récalcitrante, il endossait la livrée du représentant de commerce, de l'agent des eaux, du gaz, de l'électricité, du déménageur. Sa petite taille, sa banalité rassuraient. Il savait prendre langue avec les concierges, les commerçants, les coursiers, les livreurs, il parlait le dialecte de chacun et se proposait, moyennant pourboires, de faire certaines courses à leur place. Par exemple, il montait souvent des fleurs à certaines de nos « postulantes » : il pénétrait dans l'appartement, prenait à l'insu de la locataire quelques instantanés et s'il avait le temps relevait parfois l'empreinte de la serrure pour refaire une clef. Tels ces espions capables de reconstituer un texte tapé rien qu'au bruit de la machine à écrire, il pouvait dresser le décor de toute une existence à partir de quelques indices.

Avec une habileté de cambrioleur, il entrait par effraction chez les gens, sans rien bousculer, posait un ou deux micros, photographiait les objets intéressants, surtout les albums de famille, repartait furtivement. Une fois la cible choisie, il la quadrillait, la filmait : aucune n'échappait longtemps à ses investigations. L'idole était cernée de toutes parts. Après quelques semaines, il savait tout de ses mœurs, de ses habitudes, de sa généalogie jusqu'aux aïeux les plus lointains. Son entêtement de fourmi payait. Il établissait de vraies fiches de police et nous avions accumulé assez de matériaux pour faire chanter des dizaines de personnages. Les patrons conservaient ces informations sur disquettes dans un coffre en cas de poursuites.

Le paradoxe de ce braconnage, c'est que j'en vins peu à peu à partager les préjugés de mes employeurs, à me persuader que la beauté est une conspiration contre l'humanité ordinaire. Sa blessure s'insinuait en moi comme la lame d'une épée, j'appris à la reconnaître, à en détecter les maléfices, à me dire de telle ou telle jeune femme : elle est magnifique, elle a un port de reine, donc elle nous offense. Dès qu'une figure sortait de l'ordinaire, je le prenais comme un affront personnel. Je finissais par croire que les beaux sont parmi nous une autre race venue sur terre pour désespérer le genre humain, des atomes de bonheur qui nous défient et se suffisent à eux-mêmes. Raymond me rendait perceptibles des détails qui m'échappaient : c'était un écorché vif de la grâce, le moindre agrément dans un visage le brûlait comme un clou incandescent. J'avais déjà tant à faire pour colmater les dégâts de mon apparence, je m'indignais de ces êtres que la fatigue embellit et dont rien n'altère la perfection des traits et du teint. Moi aussi désormais je hais la beauté car elle me réfute.

Le pacte de chair

Raymond me faisait horreur d'autant que nous avions des rapports biaisés. Il me servait. Pour moi qui venais d'une famille pauvre, qui avais été enfant voué à toutes les corvées, c'était une ivresse neuve. Il me donnait du Monsieur long comme le bras et, si ridicule que fût ce titre, j'en étais flatté. Cabotin aguerri, il jouait à être un employé et moi son chef, nous parlions un langage emprunté, anachronique. Cette déférence était fallacieuse puisque je me trouvais de fait son prisonnier. Où que j'aille, il me suivait comme une ombre, m'accompagnait même dans mes songes. Au début, me portant garant d'Hélène, j'avais tenté de le corrompre, lui proposant une grosse somme pour aller délivrer ma compagne. Il m'avait répondu :

— N'y songez même pas, l'argent ne signifie rien pour moi.

Sa loyauté envers Steiner était inentamable, il avait la ferveur du vassal. Je le harcelais de questions sur le Fanoir : comment nourrissez-vous vos prisonnières ? Si l'une d'elles se suicide, comment réagissez-vous ? Nettoyez-vous leurs cellules ? Et la police ? Comment échappez-vous à ses enquêtes, aux appels à témoin ? Il biaisait. J'essayais de reconstituer leur projet, d'éclairer les zones d'ombre, il éludait. Je l'avais sous-estimé : je n'avais pas l'art d'interroger, il avait celui de se taire. Je cherchais des stratégies secrètes, des complicités occultes. Tout était comme Steiner me

221

l'avait décrit. Trois personnes d'âge et de condition différents en croisade contre un mythe.

Constatant que le rabougri se montrait aussi insensible à la prière qu'aux arguments financiers, je le torturais par la plainte. Dès le lever, je gémissais : la maison était froide, le beurre rance, le café imbuvable, j'étais fatigué, je n'en pouvais plus de cette vie de patachon. A table, je ne touchais à rien, renversais le vin et l'eau, jetais mon assiette par terre. Je laissais tout traîner, vidais les placards, débranchais le réfrigérateur pour gâter les produits périssables. J'entrais en résistance passive, le martyrisais par mon silence. Il endurait mes récriminations avec stoïcisme, ramassait tout derrière moi, réparait mes bêtises. Aucune insulte ne l'atteignait. Et sa servilité finissait par m'inquiéter, j'y lisais quelque menace cachée. Alors et sans qu'il eût rien dit, je me calmais, retrouvais l'usage de la parole et tout rentrait dans l'ordre.

Au total la vie dans l'intimité de cette brute se révéla meilleure que je l'avais craint. Fort habilement, il m'invitait à m'épancher sur Hélène et notre existence commune. Je me confiais sans réticence. Il me devint une présence amicale du seul fait que je pouvais avec lui parler d'elle. J'en oubliais presque qu'il était aussi un de ses ravisseurs. Il poussait le tact jusqu'à ne pas surveiller les messages que j'enregistrais même si, je le savais, Francesca ou Steiner les écoutaient à la réception du colis. Il multipliait les douceurs, les cadeaux chaque fois qu'il exigeait de moi un effort supplémentaire. Ce majordome minuscule et morose me vouait de la sympathie, du moins je le croyais.

Je l'ai dit, il me servait avec un dévouement qui me rappelait celui d'Hélène : j'avais droit au petit déjeuner au lit, à des vêtements propres et repassés chaque jour. Sans parler de l'argent de poche déposé dans mes souliers, Raymond disposait toujours de liasses de billets. Tout fruste qu'il fût, il accomplissait avec célérité les tâches quotidiennes, m'épargnant courses et formalités. Ses talents culinaires ne furent pas étrangers à ma domestication. Il n'était pas du genre à faire réchauffer une pizza ou à ouvrir une boîte de conserve. Tout était frais et préparé. Me sentait-il bougon ? Il confectionnait un gâteau au chocolat avec une pointe d'orange, une crème brûlée dont la croûte caramélisée craquait sous les dents. Je m'abandonnais au délice de ses soupes, de ses soufflés, de ses salades comme j'avais aimé celles d'Hélène. Ainsi que je l'avais remarqué dans le Jura, il était possédé de la névrose de la ménagère ; quand il n'était pas aux fourneaux, il récurait le plancher, brossait les vêtements, réparait une lampe ou faisait des poids et haltères, courait sur un tapis mobile, pédalait sur un vélo fixe. Ses mains s'agitaient toujours, avides d'agripper, impropres au désœuvrement. Il dormait peu, trois ou quatre heures par nuit et ne savait jamais comment brûler son énergie surabondante.

Quelque chose bascula du jour où Steiner me prit au téléphone un soir de la mi-mars. Il s'exprimait avec une intonation voilée à la suite d'un refroidissement.

— Benjamin, je viens de terminer *Les Larmes de Satan* que j'avais commandé à mon libraire. Je suis très impressionné. Je sens chez vous de grands dons malgré l'usage intensif du plagiat. Oui, je sais, Hélène

223

nous a raconté. Vous pouvez faire mieux. Vous n'avez besoin de personne pour écrire ni des auteurs chez qui vous puisez ni d'un tuteur. Vous êtes un écrivain, Benjamin. Ne gâchez pas votre talent. Nous en reparlerons.

J'en restai ébahi. Je me croyais plumitif, Steiner m'adoubait créateur, rendait corps à mes délectables chimères. Je mis plusieurs jours à digérer ses compliments. Je me sentais pousser des ailes, un poids se soulevait de ma poitrine. Dès cet instant mes relations avec Raymond se modifièrent imperceptiblement. Je repris de l'assurance. Il m'emmenait une fois par semaine, pour le standing, dans de grands restaurants. Vêtus de frac ou de queue-de-pie, les serveurs s'empressaient autour de nous. Je me rengorgeais. Je donnais des ordres au gnome : tout le monde devait savoir qu'il était mon laquais. Mais il montrait plus d'aisance que moi : je m'épuisais à surveiller mon maintien, à ne pas confondre couverts à viande et à poisson, verres à vin et à eau. Tous les détails du savoir-vivre me manquaient cruellement. J'avais oublié les leçons de bienséance apprises auprès d'Hélène. Pour masquer mon malaise, je tripotais le pain, faisais une montagne de miettes. Le sommelier, le maître d'hôtel m'observaient, narquois ; je redoutais leurs jugements, la gourmandise se transformait en examen. Et les mauvaises manières reprenaient vite le dessus : malgré moi, je subtilisais les pourboires sur les tables. Raymond, scandalisé, me forçait à les rendre.

Mille fois j'aurais pu lui fausser compagnie, prévenir la police : les risques encourus n'étaient rien en comparaison de l'enjeu. Certes il menaçait des pires châtiments si je tentais seulement de faire un pas dehors. Mais pas une fois je n'ai essayé. J'avais mon gardien au-dedans de moi et j'aurais été perdu à Paris sans lui. Le nain pouvait tomber très bas dans l'abîme de l'humiliation : si bas qu'il fût, j'étais toujours au-dessous. Il possédait une qualité unique à mes yeux : il m'écoutait. Je lui avouais mes terreurs du vieillissement, lui montrais ma langue chargée, mon teint brouillé, me mettais sous sa coupe en lui dévoilant mes faiblesses. Il se contentait de constater, de maugréer. La communication était limitée : devant toute discussion un peu élaborée, il abdiquait. Mais il avait une espèce de présence bourrue, de fidélité de bon chien. La nuit, si j'avais peur, il faisait son couchage au pied de mon lit, restait jusqu'au matin. La proximité naît ainsi de petits gestes et d'habitudes partagées. Même entre un geôlier et son détenu, comme me l'avait dit Steiner, peut naître une complicité. Raymond était une main et un corps qui m'assistaient. Il se substituait à Hélène mais avec une maladresse qui me faisait regretter l'original. Il ne saurait jamais comme elle conduire une conversation, panser mes plaies, apaiser mes inquiétudes.

Il alla, sans doute sur les conseils du Patron, jusqu'à me proposer son aide dans la rédaction de mon deuxième roman. Il n'y connaissait rien mais il aimait les bonnes histoires. J'acceptai, touché par tant de prévenance. Ses suggestions dépassaient rarement le niveau du bon sens et semblaient directement inspirées de Steiner. Elles eurent au moins l'effet bénéfique de m'obliger à travailler quand j'en avais le loisir. Il me forçait à chercher dans les dictionnaires le mot rare, l'expression juste. La nuit, parfois, il me réveillait en me chatouillant le nez avec une plume :

— Monsieur, j'ai pensé à quelque chose pour votre livre.

Je pestais mais Raymond n'avait que de bonnes raisons de me tirer du sommeil. Et j'aimais ce vouvoiement entre nous qui restait le signe le plus évident de ma supériorité. Mon gardien me traitait avec des égards : cela suffit à adoucir ma captivité et à rendre tolérables ces quelques mois passés en sa compagnie.

LE CASTING DE L'ENLÈVEMENT

A la mi-avril, après des centaines d'heures de filatures, nous avions jeté notre dévolu sur une demi-douzaine de perles rares et possédions sur chacune d'épais rapports. Les derniers messages d'Hélène se faisaient pressants : elle s'impatientait, s'inquiétait de nos résultats. Sa voix trahissait une certaine lassitude. Elle m'assaillait de questions auxquelles je ne savais répondre. Francesca lui donnait des cours de philosophie mais elle aurait échangé tout l'idéalisme allemand pour une heure de liberté avec moi. Mes missives se ressemblaient toutes : je m'y plaignais et suppliais ma compagne de m'attendre et de me comprendre. Je répétais trois ou quatre fois les mêmes phrases : cinq minutes d'enregistrement, c'est long et il n'est pas facile de se renouveler.

Quand les pièces furent prêtes, Steiner et Francesca

arrivèrent en voiture du Jura et Raymond partit là-bas veiller sur Hélène. Pour des raisons évidentes, le trio, hormis dans le chalet, ne pouvait jamais se trouver réuni au complet. L'intrusion du couple, après deux mois d'absence, m'irrita. Du jour au lendemain je perdis les privilèges dont je jouissais auprès de Raymond. Je prenais les repas avec les patrons dans la grande salle à manger, de façon guindée ; la conversation languissait surtout devant Francesca. Elle eût voulu que je serve et fasse les courses mais Steiner, grand seigneur, avait embauché une femme de ménage à mi-temps.

J'avais tenté de renouer une complicité avec le maître du Fanoir. Nos rapports n'allaient pas au-delà d'une amabilité de surface. Il était charmant, m'avait apporté deux Polaroids d'Hélène que je trouvai en bonne santé quoiqu'un peu empâtée. A Paris, il avait retrouvé une avidité, une alacrité étonnantes. Un jour, nous marchions ensemble, je lui parlais de mon roman, il m'écoutait d'une oreille distraite, tout occupé par les corps des femmes sur lequel le vent plaquait robes et chemisiers. Je le sentais émoustillé ; ses yeux couraient d'une silhouette à l'autre, des yeux qui ne disaient pas la colère mais l'appétit, l'envie de se jeter dans la mêlée. Il lorgnait sur ces beaux fruits gorgés de sève. Il était le renard jeté dans le poulailler même si le renard s'était juré de ne plus en croquer. J'en fus choqué et le lui dis.

— Ah pitié, me rabroua-t-il, pas vous, pas ça ! Je n'ai pas besoin d'un troisième cafard !

Décidément, Raymond était mon seul allié dans ce trio !

227

Nous avions donc retenu six « spécimens », il fallait en écarter trois. Steiner et son épouse louèrent une voiture aux vitres teintées : nous suivions une journée durant chacune des « suspectes ». Nous les cueillions le matin au sortir de chez elles, les accompagnions dans leurs déplacements jusqu'au dîner si elles le prenaient dans un restaurant. Jérôme insinuait son grand corps dans l'habitacle et conduisait, Francesca fixait notre « cliente » d'un œil exorbité, je filmais au camé-scope. Le soir la patronne, après mûre réflexion et examen des photos, rendait son jugement à la manière inverse des empereurs romains : pouce vers le bas, la fille était graciée, pouce vers le haut condamnée. Je n'ai jamais saisi sur quels critères se fondaient les patrons pour rendre leurs arrêts. Dans leur hiérarchie de la vénusté, il y avait les étoiles filantes, les icônes éphémères, les enchanteresses incontestables. Ils récusaient ainsi les physiques à la mode, trop passagers, les splendeurs synthétiques qui avaient l'air de sortir de l'usine, les fausses mignonnes qui portaient déjà sur elles les stigmates de l'âge. Quand il ne resta que trois concurrentes – les autres n'avaient dû qu'à leur imperfection d'être acquit-tées –, Jérôme et Francesca procédèrent à la cérémo-nie du jugement.

Ils avaient transformé le salon aux rideaux tirés en tribunal. Avec une connaissance parfaite des dos-siers, se projetant diapos et vidéos, ils reconsti-tuaient la biographie des accusées. Chacune avait droit à un procès équitable même si le verdict ne faisait aucun doute. La liste des « forfaits » était minutieusement établie et se ramenait toujours aux

crimes abominables de somptuosité, de raffinement
et d'élégance. En réalité ces profanateurs étaient
des adorateurs déçus : ils stigmatisaient des grâces et
des atours qui les enivraient. Ils s'extasiaient des
qualités de leurs futures victimes comme on
s'enchante des premiers pas d'un enfant. Trois
après-midi durant, ils se jouèrent à eux-mêmes à
huis clos et pour leur propre édification une pièce
de théâtre dont je connaissais chaque détail puisque
je les avais collectés. J'assistai en leur compagnie à
une sorte de messe profane dédiée à l'esthétique du
corps humain. Avec l'agrandisseur ils s'attardaient
longuement sur la topographie d'une pommette, la
pliure d'un cou, le modelé d'une nuque, le velouté
d'une carnation. Ils soulignaient la banalité des
parents, surpris que « la rose la plus exquise puisse
germer sur un tas de fumier ». Ils ne manifestaient
aucune animosité à l'égard de ces filles, juste une
immense pitié. Ils avaient mal à leurs proies, souffraient d'avance de l'outrage qu'ils allaient leur infli-
ger. Mais toutes les raisons de les encenser étaient
autant de raisons de les sacrifier. Le panégyrique ne
se distinguait pas du réquisitoire. Rien n'aurait pu
les détourner de leur plan. Ils n'étaient pas de
simples humains assouvissant une sombre passion
mais le glaive de la Justice dans sa froide impartia-
lité. Aucune des tendres biches ainsi visées ne pouvait soupçonner que quelque part, dans un appartement parisien, un couple de petits comploteurs les
avait déjà inculpées et s'apprêtait à les châtier.

La première accusée fut présentée par Jérôme Steiner qui brassait avec délectation tout un harem

d'images. Elle s'appelait Cléo Ladveska, une blonde d'origine polonaise aux longues jambes musclées. Agée de 22 ans, elle mesurait 1,75 mètre et répondait aux canons les plus stricts. Même pour moi que ces choses indiffèrent, elle était divine : un visage de madone, des yeux vert-gris en amande, une peau d'un blanc uniforme sans marques ni taches. D'où qu'on la regarde elle semblait un objet précieux sorti de son écrin, un animal d'une lignée très pure. Je me souvenais d'elle : nous l'avions pistée, Raymond et moi, après l'avoir croisée un jour de mars dans le jardin du Luxembourg. Cette fille extraordinaire végétait dans un bureau d'urbanisme et manquait selon Steiner de confiance en soi.

— Cléo a parfaitement compris, assurait-il, que la beauté est un capital qui se dilapide chaque jour et les belles des souveraines assises sur un trône vacillant. Elle confirme l'idée qu'on a plus de chances auprès d'une jolie femme anxieuse de vérifier son pouvoir qu'auprès d'une mocheté. Cléo, étourdie par tous ces mâles qui lui font la cour, couche par politesse, presque par civilité. Dès qu'un homme lui plaît un peu, il faut que la chose se fasse sans délai ; comme elle le dit dans son jargon « c'est plus cool », « c'est pas prise de tête ». Il est poli d'être facile. Sur son corps époustouflant, des régiments entiers ont bivouaqué et plié bagage, lassés de sa froideur, de sa passivité. Elle est de ces marchandises de luxe qui passent entre beaucoup de mains pour calmer son inquiétude. A 22 ans, Cléo est déjà terrorisée par le vieillissement et se soumet aux travaux forcés de la ligne et du régime. Elle craint tant d'être éclipsée qu'elle évite certains endroits à la mode ou se néglige pour sortir : si on ne la regarde pas, c'est au moins qu'elle l'aura fait exprès. Alitée pour une angine ou une grippe, elle n'ose avertir les autres de sa maladie, redoutant que nul ne l'appelle et de constater qu'elle ne compte pour personne. Dans les moments de cafard, elle va dormir chez son père, ses parents sont divorcés. Elle emporte avec elle son linge sale et son père passe la nuit à laver ses chaussettes, tee-shirts et petites culottes à la main. Cléo suce son pouce en regardant la télévision et son poing en faisant l'amour. Il y a chez elle une conjonction troublante d'érotisme et d'immaturité. Elle vit son charme comme une malédiction : à ce niveau d'accomplissement formel, la solitude ne peut être qu'absolue. Où qu'elle aille, son arrivée a la force d'une apparition, elle installe autour d'elle un cercle de déférence et de terreur. Mais comme elle impressionne, elle déçoit aussitôt. Plaignons les belles femmes, mes amis, elles ne peuvent tenir leurs promesses. En séquestrant Cléo, nous allons la soulager d'un fardeau qui lui pèse.

Steiner irradiait durant cette présentation. Son grand corps trouvait des délicatesses de félin pour évoluer entre les tables, aller de son siège à l'écran où il commentait, une règle à la main. Il était dans son rôle favori : celui du Grand Inquisiteur expédiant ces archanges à la question. Toutes les deux heures, Francesca appelait Raymond, prenait des nouvelles d'Hélène. Le garde-chiourme veillait sur son butin !

La seconde personne incriminée s'appelait Judith Charbonnier. Brune aux yeux noirs, étudiante en

231

droit, âgée de 24 ans, elle affichait l'assurance des bien-nés. Ce fut Francesca qui développa son dossier.

— Judith, mince, grande, sportive, est la preuve vivante que la beauté moderne, c'est la santé, la convergence de traits harmonieux et d'un corps fuselé, tonique. Cette jeune femme sage rêve de ne plus l'être. Mariée depuis six ans avec un étudiant auprès de qui elle s'ennuie, elle a pris un amant de quinze ans son aîné, le rédacteur en chef d'un magazine chez qui elle se rend presque chaque fin d'après-midi. Dès qu'elle arrive chez lui, elle court faire pipi pour soulager sa conscience. Il la caresse avec méticulosité, elle compare ensuite la qualité de cette jouissance avec celle éprouvée auprès de son époux. Elle se délecte en cachette de livres et de cassettes érotiques. Raymond en a retrouvé une, au fond d'un placard et qui selon toute vraisemblance a été très regardée. C'est un film indigent, intitulé *Vidange-graissage*, l'histoire de deux garagistes pétant de santé qui reçoivent une cliente pour une révision complète de son véhicule. Ils ne tardent pas à la culbuter sur la carrosserie de sa voiture, la pistonnant des deux côtés. Elle porte des lunettes, l'un d'eux jouit dessus en s'écriant : un petit coup sur le pare-brise... Vous voyez le genre !

« Pourtant même les jambes écartées et l'audace à la bouche, Judith reste bien élevée. L'impudeur n'est pas plus facile à atteindre que l'abstinence. Elle s'applique pour être dépravée puisque tel est le devoir d'une jeune femme moderne. En ce moment par exemple, elle s'initie à la sodomie avec un zèle de bon élève. Elle y va progressivement, curieuse de ce qui monte de son corps, en attente de volupté. Elle adore qu'on lui dévore le fondement, qu'on la mange à grands traits et se vante de sentir très bon dans ces régions. Bientôt, elle essayera le saphisme, il faut tout essayer. Elle fait les perversions à la manière d'un touriste qui fait l'Inde, l'Égypte, le Mexique. Après l'amour, elle a le sublime las de certaines jeunes filles, ce charme fou fait de bonheur et de nonchalance qui la rend lointaine comme un astéroïde. Chaque jour pour elle doit lui confirmer qu'elle est promise à un destin hors pair. Un rien la fait rire aux éclats, un rire d'une généreuse explosion, un acquiescement total à l'existence. Elle n'est pas de ces figures mortes, gelées qui prennent la fixité de la pierre. Elle a un visage habité qui bouge et respire. Elle est si sûre d'être unique qu'elle n'hésite pas à s'enlaidir, persuadée qu'elle restera le point de mire de tous. Avec son mariage qui bat de l'aile, elle a pris goût aux mensonges, les élabore avec précision. Bientôt elle mentira à son amant parce qu'elle en aura trouvé un autre plus excitant, elle cloisonne sa vie et cette pratique du secret décuple sa félicité. Curieusement, c'est sa mère qui lui conseille de s'amuser comme pour retrouver à travers sa fille une seconde jeunesse ; elle drague avec elle, lui désigne les garçons qu'elle trouve appétissants. Nous tenons là, Jérôme, une de nos prises les plus intéressantes des dernières années. Je propose de lui accorder la priorité absolue.

Le troisième « spécimen » choisi était une créature au sens propre du terme, une magnifique métisse franco-camerounaise du nom de Leïla. Toujours vêtue de longs pantalons de soie, de lin ou de satin, de gilets de laine douce, elle dégageait une liberté, une énergie extraordinaires. Son corps glorieux, gonflé emplissait les tissus de ses volumes. Celle-là, nous l'avions suivie des semaines durant, de boîtes de nuit en petits hôtels de campagne, elle nous avait semés plusieurs fois et donné bien du fil à retordre. Elle avait des yeux si lumineux qu'ils vous forçaient à baisser les vôtres. Elle avait débuté comme strip-teaseuse alors qu'elle vivait encore chez ses grands-parents maternels en Bretagne. Un diplomate d'Europe de l'Est en avait fait sa maîtresse, l'avait établie sur un grand pied. Maintenant, elle habitait seule dans un studio, commençait des études d'histoire sur le colonialisme.

— Regardez bien cette fille, nous avertit Francesca. Elle est plus que belle, elle est étrange, indécidable. Il y a des gens qui habitent très tôt leur visage, s'y enferment et n'en sortent plus. Elle a une majesté à éclipses, varie d'une heure à l'autre, connaît des chutes vertigineuses, des réveils éclatants. Avec sa peau d'ébène, ses yeux gris en amande, sa chair opulente, Leïla est une princesse mais une princesse ténébreuse. Violée à l'âge de 15 ans par son beau-père, elle ourdit depuis un perpétuel complot contre le sexe masculin. Son physique est une machine de guerre pour détruire les hommes. Elle ne les prend jamais au-dessous de 50 ans, il y a des filles à vieux comme il y a des filles à soldats. Dès qu'elle en rencontre un, elle s'arrange pour connaître ses amis. Elle courtise ces derniers, fait croire à chacun qu'elle éprouve un faible pour lui. Alors commence la ronde infernale des rendez-vous clandestins. Elle va jeter ses partenaires les uns contre les autres comme des quilles. Elle adore, pardonnez le détail, se faire sucer déjà pleine de la semence d'un autre qui bave de son intimité. Son moment favori est l'aveu : quand elle confesse à l'élu de son cœur qu'elle a couché la veille avec l'un de ses proches, qu'elle recommencera bientôt et que tout le monde le saura. Surprendre le désarroi, l'épouvante sur le visage de l'amant lui est un délice absolu. Tous les épisodes de la relation sont agencés en vue de cette scène finale. Certaines machinations lui prennent des mois. Elle choisit si possible des individus d'une haute position sociale afin de mieux les précipiter dans la poussière. Elle laisse des sociétés entières endeuillées, brise des familles, rompt des unions d'une vie. Elle aimerait entretenir une relation d'amour avec un homme mais le besoin de trahir est plus fort : elle doit les entraîner avec elle dans l'abjection. Je te l'avoue, Jérôme, j'éprouve une tendresse particulière pour cette Leïla. Au point que j'aimerais l'initier à notre projet, lui dévoiler nos intentions. Je subodore en elle une disciple enthousiaste. Elle constituerait l'appât idéal pour attirer les bellâtres. Jérôme, je le répète, il est temps d'élargir notre recrutement, d'incarcérer des garçons.

La mention de la nécessaire mixité du Fanoir ressemblait beaucoup chez Francesca à un leitmotiv. Elle protestait pour la forme comme s'il était entendu que le « fléau » fût une tare exclusivement féminine. Steiner obtempérait, promettait toujours. Il évitait de contredire son épouse frontalement. Elle était le cerveau et la chef du groupe, il s'inclinait devant sa puissance. Exposer les cas de ces trois jeunes femmes avait mis les patrons d'excellente humeur. Ils en conclurent doctement que la beauté ne conduit ni au bonheur ni à la moralité. Au soir du troisième jour, ils trinquèrent avec moi, me félicitèrent de ma coopération. Pour fêter l'occasion, le couple sortit en ville sans me convier d'ailleurs à ses agapes. Ils m'avaient enfermé dans ma chambre. Ils rentrèrent vers 3 heures du matin, passablement éméchés, renversant tables et chaises, étouffant des fous rires. A 10 heures, ils repartaient vers l'est, laissant la place libre au domestique revenu s'occuper de moi.

Il y avait eu heureusement cette promenade émouvante en fin d'après-midi dans le parc Monceau où Steiner m'avait pris par le bras pour me parler de mes écrits.

— Je crois beaucoup en vous, je vous l'ai dit au téléphone. Vous avez l'étoffe d'un écrivain. Le plagiat est un enfantillage qu'il faut oublier. Mais Hélène ne vous rend pas plus service en vous aidant. Travaillez sans relâche, vous n'avez besoin de personne. Vous savez, Benjamin, vous êtes un peu le fils que j'aurais aimé avoir.

Je me pavanais. Ces quelques mots effacèrent l'ensemble des désagréments subis depuis deux mois.

Quant à nos trois « coupables », une seule, je le savais, devait être sanctionnée prochainement. Les autres resteraient sur liste d'attente comme des otages dormants. Il pouvait se passer de six mois à deux ans jusqu'à ce que vienne leur tour. Durant ce laps de temps, il arrivait que la personne épaississe, s'abîme, tombe malade ou parte à l'étranger. Son cas était alors réexaminé par le triumvirat et son dossier parfois clos. Quelques « merveilleuses » devaient ainsi au hasard ou à l'apparition d'un petit défaut leur maintien en liberté. Beaucoup me restait obscur : je n'ai jamais su comment Raymond s'y prenait pour enlever ni où et quand avaient lieu les rapts. En tous les cas, du jour au lendemain, on cessa de parler de Cléo, de Judith, de Leïla et il fut interdit de mentionner leurs noms. J'étais navré, bien sûr, qu'on envoie ces filles à l'abattoir; elles constituaient des êtres surnaturels dont l'élaboration avait requis des siècles de soins et de culture. Toutefois leur disparition me laisserait indifférent : pourquoi aurais-je dû les plaindre ? Il leur arriverait exactement ce qui m'arrivait depuis ma naissance : vieillir avant l'âge. Et personne n'avait pour moi la moindre compassion.

J'étais donc bientôt libérable, le cauchemar allait cesser. Finies les courses dans Paris, la vie de bâton de chaise. Je pouvais désormais rester à la maison, me consacrer à la rédaction du livre. Je comprenais moins que jamais pourquoi Steiner m'avait envoyé ici faire ce travail. Raymond s'en serait sorti aussi bien tout seul. Je préférais ne pas approfondir. Steiner avait beau dire, je ne parvenais pas à écrire : inventer des personnages, imaginer des situations demeurait hors de ma portée. Je caressais un rêve : qu'Hélène et moi, après sa libération, prenions Raymond à notre service. Je n'osais pas y croire, je ne voyais pas les patrons se priver d'un auxiliaire aussi précieux. Raymond préparait notre départ. Il rangeait les dossiers, le matériel photographique, brûlait des centaines de clichés, déménageait quelques affaires. Il avait pris une mine de conspirateur, entrait le soir à pas de loup, me demandait de tout éteindre, surveillait la rue de derrière un rideau. J'avais ordre de n'emprunter que l'entrée de service, d'éviter l'ascenseur, de me méfier des livreurs, nous habitions un immeuble de bureaux. Le nain redoublait de précautions. Il avait loué une Espace Renault et j'avais trouvé dans la boîte à gants un de ces chapeaux lumineux dont usent les taxis pour signaler qu'ils sont libres. La « livraison du colis » devait être imminente. Je ne m'en souciais guère : je n'étais qu'un rouage. J'avais collaboré par force, non par adhésion. Le reste ne me regardait pas. Les beaux jours étaient revenus. Mai resplendissait sur Paris. J'allais bientôt revoir ma petite fiancée, nous effacerions cette macabre péripétie de nos mémoires. Elle m'aiderait à entreprendre mon roman.

Et puis un soir, Raymond qui faisait un jeu dans un magazine féminin (« Êtes-vous craquante ou croqueuse ? ») tout en léchant une sucette Chupa-Chups décrocha le téléphone et me passa Steiner. Avec une terrible douceur dans la voix, le maître m'apprit la nouvelle : Hélène venait de s'évader !

LA DÉPRAVATION DU PYGMÉE

Contre toute attente, je fus anéanti. En faussant compagnie aux Steiner, Hélène me ravissait la vic-

238

toire, bousculait le beau scénario que je m'étais raconté. C'était à moi de la libérer, mission accomplie, de quel droit me volait-elle ce privilège ? J'étais presque vexé qu'elle ait pris l'initiative à ma place. Je passai une nuit affreuse, sursautant au moindre bruit, m'attendant à voir le Patron frapper à la porte à tout instant. Je n'avais pas d'illusions sur sa mansuétude : il allait se venger sur moi de cette défection, me fiche une raclée ou pire. J'en avais les larmes aux yeux, roulais des pensées noires dans ma tête. Au petit matin, vers 7 heures 30, le téléphone sonna : Hélène avait été retrouvée à cinq kilomètres du Fanoir alors qu'elle fuyait à travers champs. On allait l'enfermer dans une des caves en attendant mon arrivée. Les messages sur cassettes étaient suspendus. Je m'endormis en espérant qu'ils ne l'avaient pas brutalisée.

Un autre grain de sable devait enrayer notre belle mécanique et retarder notre retour sur le Jura de quelques semaines. C'était la première fois que Raymond était laissé seul à Paris sans la tutelle du Patron ou de Francesca. Le gnome était chargé de me surveiller mais nul ne surveillait le gnome. Il avait pris goût à la liberté, tous ses appétits d'antan furent réveillés. C'était le printemps, ce moment de l'année où les femmes se montrent enfin après le long purgatoire de l'hiver et dévoilent des trésors longtemps occultés. La grande parade de l'amour, de la chair facile et abondante recommençait. Sauf pour Raymond. Les élégantes de haute taille, les pastourelles aux formes pleines passaient devant lui et semblaient dire : tout ça n'est pas pour toi. En public il faisait de la peine, mendiait un regard. Il était fragile et l'envoyer seul au front était une maladresse de la part de Steiner. Alors que j'étais arrivé sans effort à l'abstinence, il restait torturé par sa sensualité et jugulait mal un corps qui avait gardé toute sa vigueur. Je m'en rendais compte le matin : il exhibait au petit déjeuner qu'il me servait en pyjama une bosse impressionnante. J'exigeai qu'il enfile au moins un pantalon. Je découvris pire peu après : une nuit que je souffrais d'insomnie, j'allai à la cuisine boire un verre de lait dont Raymond m'avait vanté les vertus dormitives. Passant devant sa chambre, j'eus la surprise de la trouver allumée et la porte entrouverte. J'entendis d'étranges grommellements ; je glissai une tête sans bruit. Raymond, pantalon baissé sur les chevilles, mains gantées de blanc, s'activait sur une dizaine de revues pornographiques posées devant lui. Hirsute, congestionné, il lançait des imprécations aux créatures de papier qui lui montraient leur soleil et leur lune. Quand il me vit, il poussa un cri, rougit, remonta précipitamment son pantalon.

Je m'enfuis, révulsé. Le lendemain, il vint, contrit, me présenter ses excuses, me supplier de ne rien dire aux patrons. Il avait eu ses « rechutes », il ne recommencerait plus. J'aurais dû profiter de cet incident pour attiser ses penchants, le dresser contre Steiner et Francesca, m'émanciper enfin. L'occasion était trop belle. Je la laissai passer. Pour prix de mon silence, je posai une condition : que le gnome m'apporte tous les magazines érotiques cachés dans les placards. J'allumai un grand feu dans la cheminée et l'obligeai à brûler cet étalage de turpitudes jusqu'à ce qu'il ne reste plus un bout de sein ou de peau visible. Ce fut un crève-cœur pour Raymond. Je demeurai inflexible : je ne permettrais pas que cette maison dégénère en république d'Onan.

Pourtant mon gardien était loin d'être guéri ; il restait un chien fou que le coup de téléphone quotidien de Jérôme ramenait un instant à la raison. Dans la rue, ce colosse miniature ne parvenait plus à se refréner. Le moindre tendron, la moindre prunelle charbonneuse le faisaient dérailler. Il se grisait de tout un peuple de jeunes filles palpitantes qui s'exhibaient, radieuses, laissant deviner des prodiges sous leurs vêtements. Il aurait fallu la vigilance d'une duègne pour le contenir. Il me disait : certaines femmes sont si merveilleuses qu'on n'ose les regarder de peur de mourir foudroyé. Chacune est pour moi une raison de disparaître. Elles sont parfaites, je suis raté.

Le malheur arriva donc par un slow comme il se doit. Raymond, un soir de semaine, m'avait demandé de sortir avec lui : il se sentait seul. J'acceptai. Nous allâmes d'abord au cinéma, soupâmes vers minuit pour faire ensuite le tour des clubs. Je regardais déjà ce monde de loin, certain d'en être affranchi. Tous les établissements se ressemblaient, abritaient la même faune de jeunes crétins singeant une crise de démence au milieu du vacarme et de la vacuité. Je croyais souffrir en ces lieux : mon calvaire n'était rien à côté de celui de Raymond. Petit comme il était, il ne dépassait pas la hauteur des seins ou du nombril des filles, percé en général d'un anneau ou d'une boucle. Ce face-à-face avec les mystères de la nudité le suffoquait. Noyé dans un labyrinthe de jambes immenses, de décolletés

241

agressifs, il appelait à l'aide. Celui qui est méconnu des femmes les observe et les comprend avec une acuité que n'a pas le fat séducteur. Tout était blessure à Raymond : l'arôme d'une bouche, le parfum d'une aisselle, un rire un peu incisif, le renflement d'une épaule, le bombé d'un ventre. Et quand je le voyais disparaître dans la foule, son bras levé tel le périscope d'un sous-marin, se frayant un chemin parmi ces barbares à demi nues, j'en avais le cœur serré.

Cette nuit-là, vers 4 heures du matin, alors que j'accusais une sérieuse fatigue, il me supplia d'aller boire un dernier verre dans une discothèque près de Pigalle. Rue Blanche, une sorte de voyou ténébreux, armé d'un cutter, tenta de nous délester de notre argent. Raymond le démolit d'un coup de boule dans l'estomac et cet exercice physique lui rendit un peu de gaieté. La boîte, en étage, était comme l'œil énorme d'un cyclope dans la masse de l'immeuble : des femmes en string dansaient dans des nacelles suspendues au plafond. Quelques armoires à glace tanguaient avec des grâces de funambules, des matrones sur le retour gigotaient. C'était l'heure dans les antres sombres où l'on solde les invendus, ou les esseulés des deux sexes se contentent de ce qui reste. Il y avait là l'éternel mannequin anorexique, à la peau diaphane, aux pupilles dilatées, et dont les lèvres, anormalement épaisses, semblaient cousues main sur une tête de cadavre. Des vierges délurées, au popotin saillant, des pulpeuses habillées de haillons qui valaient des fortunes s'apprêtaient à repartir bredouilles, proclamant haut et fort que l'endroit était nul. Raymond était affalé sur un canapé crevé qui perdait son crin par

242

tous les bouts : près de lui deux athlètes en maillot de cuir s'embrassaient à pleine bouche. Englouti par la haute taille des autres, mon domestique semblait encore plus effacé que d'habitude. Mais par cette loi infaillible qui veut que l'exception dans un groupe finisse toujours par être remarquée, Raymond, cette nuit-là, parce qu'il rebutait à la plupart, suscita au moins l'intérêt d'une personne.

Je l'avais remarquée : c'était l'une de ces drôlesses à la dérive, assez sûre d'elle-même pour danser seule sur la piste et autour de qui chacun faisait cercle. Avec une aisance folle, elle s'enroulait autour de son torse, en faisait une colonne au long de laquelle ses bras montaient comme des serpents. Les spots hachuraient son visage, elle accrochait les regards par des rondeurs exubérantes, des épaules larges, tout un laçage suggestif qui lui prenait la taille et les jambes. Elle chaloupait donc sur un duo de cuivres quand tout à coup et alors que rien ne le laissait prévoir, elle fondit sur Raymond et l'invita. D'abord, il bondit comme si on l'avait électrocuté, tenta de s'enfuir. Elle lui saisit le poignet avec une incroyable autorité, le retint. Il se débattit, se calma, s'inclina. Et voilà mon nabot qui s'élance, esquisse quelques tortillements autour de la belle comme une planète autour du soleil. Faut-il que les gens de la nuit soient blasés pour n'être pas tombés en arrêt devant ce couple invraisemblable! Pendant de longues minutes, Raymond se livra à de douloureuses contorsions, sa cavalière lui lançait des regards insinuants. Il n'en revenait pas de ce qui lui arrivait. Quand vers 6 heures, au moment de la fermeture, le disc-jockey joua une série de slows et que la voix chargée de Barry White se mit à mugir *Only want to be with you*, la jeune fille l'attira contre sa poitrine et le tint blotti entre ses mappemondes plus grosses que sa tête à lui. On eût dit qu'elle dansait avec un ours en peluche. Peu après, elle embarquait mon Raymond, le tirant par la main, telle une grande sœur. C'est ainsi que l'affaire fut emballée.

L'idylle dura une semaine durant laquelle le gnome négligea totalement mon service. Sa partenaire qui s'appelait Marine avait trouvé là l'occasion d'assouvir une fantaisie : coucher avec un nain, avec l'homme-phallus. Elle se paya une mascotte, lui jura qu'elle n'avait jamais eu d'amants comme lui, en quoi elle ne mentait pas. Il en conclut qu'il lui plaisait, en quoi il se trompait.

Il était si naïf qu'il se laissa embobiner. Tels ces pauvres qui gagnent à la loterie et en perdent la raison, le priape noueux perdit toute intelligence au contact de Marine. La femme était depuis longtemps pour lui une Chine lointaine avec laquelle il ne frayait plus. Qu'il ait eu ses chances avec l'une d'elles et pas des moindres l'électrisait ; qu'elle l'ait choisi dans une boîte et presque enlevé l'époustouflait. Il se jeta tête la première dans le gouffre de la féminité ardente et ce passage du renoncement à la consommation l'enivra. Enfin il devenait l'égal de son maître sur le terrain où celui-ci avait toujours excellé. Il succomba à ces fastes charnels comme un homme qui revient à la lumière après un long séjour dans un puits de mine. Il fut aveuglé, soufflé, oppressé. Il ne rentrait à la maison que pour se changer, se laver, faire quelques courses, bâcler un plat, téléphoner à Steiner en lui mentant. Il m'implorait de l'aider à s'habiller, à se coiffer, à discipliner ses cheveux raides comme des hérissons de ramoneur. Il me faisait sentir son haleine avant de sortir, se ruinait en cadeaux. Dans ses rares moments de confidences, il m'énumérait, avec une gourmandise de puceau, les charmes de sa maîtresse, ses petites manies délicieuses. Alors la lubricité gonflait sa face, il me rappelait ces crapauds qui doublent de volume quand ils chantent.

Marine, ayant deviné que Raymond était né pour servir, lui faisait faire le ménage et la cuisine chez elle de fond en comble avant de l'autoriser à l'approcher. Je l'imaginais, le nain-soubrette, en chaussettes et caleçon, un tablier autour de la taille, passant l'aspirateur, récurant la baignoire, anxieux d'obtenir sa récompense. Mais au soir du septième jour, la belle lui donna son congé. Elle avait assouvi son caprice, elle le jeta, le pria de ne plus la revoir. Il en fut dévasté comme un homme qu'un dieu a visité un jour et délaissé.

Ce renvoi l'enlaidit plus encore et déforma son visage. Il ne voulait pas y croire. La soudaineté des événements, la proximité du triomphe et de la ruine le ravagea. Il fit plusieurs tentatives pour reconquérir son amoureuse; elle le chassa sans ménagements. Il sombra, perdit l'appétit, le sommeil, se mit à battre la campagne, à divaguer. Il tournait autour du téléphone, certain qu'elle allait s'excuser, le convier à d'autres embrassades. Hirsute, pas rasé, imbibé d'alcool, laissant derrière lui un fumet musqué, il se désintégrait. Il craignait maintenant la punition des patrons, me faisait jurer de ne rien dire. Je l'avais entièrement à ma merci, j'aurais pu négocier sur-le-champ ma liberté ; une fois encore j'ai négligé l'aubaine. Ses jérémiades m'ulcéraient, il n'en fichait plus une rame, massacrait le travail, gâtait les plats et les sauces quand il avait encore la force de les préparer. Lassé, j'appelai en douce Jérôme Steiner, lui avouai l'écart de son domestique. La révélation le médusa. Il me remercia de cette marque de confiance.

La riposte ne se fit pas attendre. A 1 heure du matin, le jour même, Francesca débarquait du Jura, elle avait roulé à tombeau ouvert depuis Besançon. Elle trouva Raymond en slip dans le salon, ivre, affalé devant la télévision. Il fut saisi de cette apparition : c'était le Commandeur qui venait le châtier d'avoir enfreint la loi. Elle marcha droit sur le renégat, le gifla à toute volée, le tira par les cheveux et s'enferma dans une chambre avec lui. Toute la nuit j'entendis l'écho assourdi de leurs larmes et de leurs cris. Au petit matin, ayant à peine fermé l'œil, je tombai au salon sur Mme Steiner, tassée dans un fauteuil devant un cendrier plein de mégots et une bouteille de gin à demi vide. Ratatinée dans une vieille parka, le teint jaune, presque ivoire, elle tremblait d'avoir trop frappé, trop hurlé. Elle avait consigné le domestique dans une pièce.

Elle tourna vers moi un visage décomposé et me fit signe de prendre place près d'elle.

— Benjamin, j'apprécie votre fair-play pour Raymond. C'était chic de votre part de nous prévenir.

Fallait-il qu'elle soit désemparée pour me parler et surmonter le mépris abyssal qu'elle me vouait ? Derrière sa façade naturellement rébarbative, il y avait un être paniqué, noyé dans le flot des années et qui appelait à l'aide. Toutes les deux minutes, elle sortait un poudrier de sa poche, se tapotait la peau par petites touches y compris sur son encolure grasse, épaisse : on eût dit qu'elle se soufflait des nuages de farine à la tête. La farine se détachait des grains de la peau et tombait en averse sur son buste.

— Sa défaillance est impardonnable. Mais il y a une chose que vous devez savoir.

Elle ferma les yeux, ses lourdes paupières roulèrent comme une voile qu'on amène. Avec ses lèvres frémissantes et sa bouche trop large, elle avait toujours l'air d'injurier le monde dans une sorte de litanie perpétuelle.

— Il n'est pas le seul à avoir flanché. Jérôme vous l'a dit peut-être : j'ai vécu une jeunesse intense centrée autour de deux passions, le plaisir et les idées. Quand je ne me laissais pas caresser par des garçons ou des filles indifféremment, je lisais des livres de philosophie. J'aime leur difficulté, leur obscurité même et qu'ils résistent au sens : ce sont pour moi des coffrets incandescents, des bombes à retardement. On les croit endormis dans la poussière des bibliothèques ; leurs idées cheminent dans l'esprit des hommes et explosent un jour à la face du monde. Je ne sortais d'une étreinte que pour retourner à mes lectures et n'arrêtais de lire que pour reprendre mes exercices voluptueux.

« A 19 ans je rêvais d'être un ange d'amour. Mon corps devait appartenir à tous ceux qui le voulaient : c'était la dette que j'avais contractée à leur égard. Je trouvais révoltant que le désir fasse des choix, se

247

réserve aux uns, se refuse aux autres. Au banquet d'Éros, même les bannis devaient être conviés. A l'époque je voulais m'anéantir dans une orgie de jouissances. Assez vite pourtant la simplicité de l'acte sexuel m'a ennuyée ; dans les pires excès, je percevais de la monotonie et beaucoup de pathos. Si forte que soit la délectation, elle ne l'était jamais assez. J'ai saisi alors que la chair est limitée au contraire de la pensée. S'attacher à la première, c'est pactiser avec la routine, cultiver la seconde, c'est lui résister, transcender l'existence insignifiante. Par habitude, je persistais dans cette vie dissolue, mon corps s'émouvait toujours avec la même facilité mais je n'y étais plus. Pour rester libre, j'avais déjà récusé les deux fatalités qui pèsent sur les femmes : la famille et la procréation. Il me restait une troisième à écarter : la sexualité elle-même. Petit à petit je me retirais du monde amoureux, me détournais de lui avant qu'il ne se détourne de moi. Je quittais l'arène de la séduction, des faux-semblants, tout ce théâtre de fièvre et de délire. Quand j'étais belle, je ne le savais pas ; quand je l'ai su, je ne l'étais plus. Si j'arrivais à donner le change, le temps reprenait vite ses prérogatives. Je voyais des adolescentes dont le seul titre de gloire était d'être nées vingt ans après moi me souffler des prétendants, me détrôner. J'allais bientôt cesser d'éblouir, passer de l'aristocratie des divines à la plèbe des ordinaires. Être jeune est un privilège fugace qu'on expie sa vie durant.

« A cette époque, j'ai croisé Steiner : il me croyait perverse, je n'étais qu'absente. Il en voulait aux femmes de trop lui plaire. Je trouvais mesquines sa volonté de les punir, sa vision de l'amour comme vengeance, stratégie d'humiliation. J'ai pourtant utilisé son amertume pour le convaincre de me suivre ; nous avons monté notre association et fait vœu de chasteté, juré de renoncer aux joies du corps et des sens. A l'époque j'étais professeur de philosophie en terminale dans un lycée. J'ai pris un congé sans solde. Nous avons emménagé dans le Fanoir, certains d'avoir trouvé le remède aux malheurs de nos contemporains. Nous allions délivrer leurs pauvres yeux du mirage ambulant de la beauté. Six mois à peine après ce pacte, ma sensualité bridée est revenue me hanter. Le plaisir est peut-être bête, il est au moins irréfutable. Je ne cédais pas. Je tenais grâce à la résolution de mes compagnons qui eux-mêmes puisaient dans mon renoncement le courage de persévérer. Quand ma peau exigeait impérativement des contacts, je demandais à l'alcool, à la cigarette de m'assister dans une tâche où la pensée seule ne suffit pas. Je me mis à manger, j'engraissais, me négligeais. Pour qui me serais-je surveillée ? Pour Steiner et son débile de Raymond ? J'assouvissais dans les rêves les envies que je refusais dans la réalité. J'avais assez d'énergie pour ne pas rompre le serment.

« Et puis Hélène est arrivée. Après votre départ sur Paris, je n'ai eu qu'un souci : tenir Steiner à l'écart. Je connais sa faiblesse : c'est un converti fragile qui n'a jamais su se départir d'une indulgence coupable envers les jeunes filles. Il faut dire qu'Hélène, pâle et amaigrie, faisait peine à voir. Elle avait entamé une grève de la faim, jouait de sa vie comme d'une arme pour nous faire chanter. Elle se lacérait le visage, s'arrachait les cheveux par plaques entières, provoquait à volonté un affreux tic qui lui tirait la moitié du visage. Elle s'enlaidissait pour nous prouver que nous avions tort de la retenir. Je ne me laissais pas prendre à son manège : je n'oubliais pas le coup qu'elle m'avait porté sous l'œil. Elle nous insultait, nous traînait dans la boue avec une fécondité dans l'injure qui me sidérait. Elle a fini par se radoucir, s'alimenter à nouveau. Vos messages hebdomadaires qu'elle écoutait dix ou vingt fois chaque jour la mirent en confiance sur vos intentions. Elle a réclamé des distractions, des livres, des magazines, un poste de télévision, une radio. Je lui ai prêté deux ou trois volumes de philosophie, le *Banquet* de Platon, la *Raison dans l'Histoire* de Hegel, le *Tractatus* de Wittgenstein. Nous les commentions ensemble : son intelligence, sa souplesse d'esprit m'étonnaient. Elle raffolait des romans, surtout policiers, je suis allée jusqu'à Dole lui en acheter.

« Une autre phase de nos relations s'est ouverte sous le signe de la coexistence pacifique et de l'enjôlement. A chacun de nous Hélène offrait un visage différent : elle recevait Jérôme en déshabillé, le priait de s'asseoir sur le lit, le complimentait sur sa forme, le faisait parler de lui. Avec moi, elle se lançait dans des joutes théoriques qui m'impressionnaient. Elle se maquillait, se changeait plusieurs fois par jour, polissait ses petits ongles roses et nacrés. Elle minaudait, faisait sa mijaurée. Votre amie, Benjamin, a une finesse de miniature mais cette délicatesse est trompeuse. Elle pouvait être exquise le matin, infernale l'après-midi. Ses sautes d'humeur me rendaient folle. Elle m'enguirlandait :

« — Arrangez-vous, faites un régime, vous avez l'air d'une cocotte adipeuse.

« A mon grand étonnement, je lui obéissais, je contrôlais mon alimentation, me coiffais à nouveau, passais des après-midi en ville à chercher de nouvelles tenues. Elle les jugeait, me donnait son avis. Quand elle était bien lunée, j'avais le droit de la peigner, de passer mes doigts dans les boucles de ses cheveux. Je ne pouvais me défendre d'une certaine attirance que je sentais croître chaque jour.

« Une nuit j'ai rêvé d'elle, un rêve sans équivoque, j'en fus bouleversée. J'avais voulu la protéger, c'est moi qui succombais. La garce s'en est aperçue, a inauguré un subtil travail de sape. Heure après heure, mêlant cajoleries et rosseries, elle a contesté le bien-fondé de notre action. Elle nous accusait tour à tour de déifier l'apparence sous couleur de la combattre, de ne pas distinguer entre le charme, l'appétissant, le sexy, toutes choses plus piquantes que le banal agrément. Elle tournait notre croisade en dérision : la beauté étant une notion relative à une moyenne, disait-elle, une fois les belles évincées, ce sont les médiocres d'aujourd'hui qui deviendront jolies à leur tour, créant de nouvelles exclusions. Elle me répétait :

« — Francesca, la beauté n'a aucun intérêt. Elle n'est que l'accord fortuit d'une majorité sur un certain type de physionomies. Il est plus fécond de la chercher là où personne ne la voit, dans le singulier, l'anormal, le vulgaire même. L'imperfection est tellement plus séduisante que la morne régularité. Une figure émouvante, c'est un assemblage de défauts harmonieusement répartis !

« Cette ravissante minimisait l'importance du physique alors que seul le sien donnait du poids à ses arguments. Entre deux sourires, elle crachait son venin :

« — Acceptez votre âge, laissez la place aux plus jeunes. Terminez votre vie dans la sérénité au lieu de persister dans la fureur du ressentiment.

« Elle parlait sans cesse de vous, évoquait vos étreintes fabuleuses, vos tête-à-tête merveilleux, me rendait malade de jalousie. Elle m'attaquait à tout bout de champ, me tournait en bourrique : j'étais faisandée, j'avais une petite haleine, je sentais sous les bras, je ne savais pas me fagoter. Elle m'appelait son " Sharpei " à cause de mes paupières, me surnommait " La Viande " en raison de mon poids, de ma couperose. Quand elle était fâchée, elle me tutoyait, me disait :

« — Tu pues comme du foie de veau, tu me dégoûtes !

« Bon Dieu, Benjamin, je ne vous souhaite pas d'être son ennemi un jour. Elle jasait à n'en plus finir, j'aurais dû la bâillonner, l'enchaîner comme une bête malfaisante. Quoi que je fasse, je n'étais jamais assez bien. J'étais à bout, je partais, elle fondait en larmes, je revenais en m'excusant.

« — Vous savez, Francesca, je vous aime bien.

« J'oubliais l'adverbe et les offenses, n'entendais que la déclaration. Elle me chamboulait. Jérôme et moi nous disputions pour lui porter ses repas, passer l'après-midi à son chevet. Elle me démolissait auprès de mon mari, le dénigrait devant moi. Je relâchais ma surveillance, négligeais de fouiller ses

252

affaires. Je me retenais pour ne pas me jeter sur elle, la couvrir de baisers. Si elle l'avait voulu, j'aurais tout plaqué sur-le-champ et recommencé ma vie ailleurs avec elle.

« Nous sommes venus à Paris pour la sélection des candidates, décidés à taire notre trouble, à faire bonne figure devant vous. Raymond nous a remplacés. Hélène avait accumulé un petit stock d'outils et préparait son évasion. Le soir de notre retour, elle s'est montrée délicieuse, nous avons beaucoup bu toutes les deux. Oubli volontaire ou non de ma part ? Je ne sais. J'avais mal fermé la porte de sa chambre, en la quittant vers minuit, n'enclenchant le pêne qu'à moitié. Ce fut un jeu d'enfants pour elle que de l'ouvrir. A 3 heures du matin, sous le coup d'un soupçon tardif, je monte la voir. Une forme est allongée dans le lit. Prise d'une impulsion soudaine et me disant que Steiner dormait, je me déshabille et me glisse dans les draps. Mais à la place du corps chaud et tendre d'Hélène, j'étreignis un traversin ! L'oiseau avait filé ! J'étais folle et de sa fuite et de mon abandon. C'est un miracle que nous l'ayons retrouvée avant tout le monde. Il pleuvait à verse cette nuit-là : elle a glissé dans la terre détrempée, s'est tordu la cheville. Elle a erré longtemps, grelottante de froid, dans ces grandes forêts du Jura avec aussi peu de sens de la direction que vous n'en aviez manifesté lors de votre escapade en février. Je lui ai filé une trempe dont elle se souviendra. Sa trahison nous a ulcérés d'autant que son vernis de douceur est tombé d'un coup, qu'elle s'est remise à nous vomir, à lancer ses invectives. Nous l'avons déménagée et attachée dans la cave sur un lit de camp. Elle hurle votre nom à longueur de journée. Nous la maintiendrons ainsi jusqu'à votre retour. J'espère que cela ne vous choque pas, Benjamin, elle l'a mérité. Il ne fait pas bon se mesurer à la beauté : il faut la neutraliser, sinon elle vous broie.

Francesca Steiner eut un moment d'immobilité léthargique. Je la crus assoupie, mijotant dans sa graisse, lourde de toute la haine accumulée depuis des années. Le naufrage était total. Son menton pendait comme si le filet de rides qui le maintenaient et partaient de la base du cou pour se rejoindre sous les mâchoires s'était rompu. Qu'Hélène ait retourné la situation à son profit et mis ces cinglés à genoux me ravissait. Francesca Steiner releva la tête, fouilla dans ses poches de ses grandes mains rouges et me tendit un paquet de photos. C'étaient des portraits d'elle plus jeune tirés sur beau papier. Je la reconnus à peine. Elle me fixait d'un air anxieux, battant des cils, le blanc de ses yeux était de la gélatine sale, coagulée. Elle attendait un mot consolateur de ma part.

— J'étais bien, n'est-ce pas ?

La question me consterna : il n'y avait donc qu'une personne dans ce groupe qui avait fait son deuil de l'aspect extérieur et c'était moi ! Petit, j'étais déjà aussi terne et déprimant qu'aujourd'hui. Francesca Steiner se souvenait d'avoir été désirable et suppliait les autres de le lui rappeler. Cette momie qui avait eu tant d'hommes et de femmes dans son lit, les avait blessés, trompés, ridiculisés, n'était plus qu'une reine sans couronne, une bombe déminée Un maître plus fort que tout l'avait domptée, avait transformé cette amoureuse fantasque en mégère vénéneuse. Elle ne tenait que par la guerre déclarée aux vivants, par l'aversion qu'elle leur portait. Elle me reprit les photos, se leva en traînant des pieds. Elle me gratifia d'un dernier regard.

— Vous savez, Benjamin, il y a eu des complications récemment. Un des enlèvements ne s'est pas passé comme prévu. Certains jours, j'en viens à espérer notre capture par la police. Un procès public ne me ferait pas peur. Je pourrais enfin y développer mes idées, gagner des milliers de partisans à notre cause.

Peu après, elle repartit pour le Jura, laissant la place libre à son mari. Le maître afficha d'abord à l'égard de son valet l'indulgence d'un père pour les bourdes de son fils. Il l'appelait Raymond la trique, Raymond la gaule, lui tirait les oreilles, lui faisait préciser des détails dont la crudité m'horrifiait. Il en voulait à Raymond d'avoir goûté à des plaisirs qu'il s'interdisait désormais. Le gnome n'en menait pas large : ses oreilles étaient deux résistances chauffées à blanc. Après le dîner que nous prîmes tous trois dans la cuisine, l'atmosphère devint électrique. Steiner qui avait jusque-là accroché à son visage un sourire convenu changea de ton. Une grande plaque rouge envahit ses joues, signe chez lui d'une explosion imminente. Sans crier gare, il frappa la table du plat de la main, saisit Raymond au collet, lui administra deux claques. Le valet encaissa sans broncher. Le sang lui coulait du nez. Cette passivité mit Steiner en rage. Il le tira de sa chaise, lui empoigna les parties génitales, le souleva de terre et le bourra de coups de tête dont le moindre m'eût tué.

— Tu n'as pas honte, espèce de sac à foutre? Me faire ça à moi? Tu sais dans quel état tu as mis la patronne?

Il le laissa tomber sur le sol, lui cracha dessus, le frappa de ses lourdes bottines dans les côtes. Il hurlait à présent. Le nain rendit une partie de son repas sur le carrelage, ce qui accrut la fureur de Steiner. Il défit son ceinturon, l'éleva au-dessus de son acolyte. Cela devenait intolérable. Je m'interposai.

— Arrêtez, Jérôme, vous allez le tuer!

Mon intervention paralysa le Patron. Il n'avait même pas envisagé que je puisse m'entremettre. J'étais à peine plus pour lui qu'un meuble animé. Il se retourna, m'agrippa :

— Qu'est-ce que tu as, toi, le peigne-cul, le châtré? Tu n'es pas d'accord peut-être? Et de quel droit m'appelles-tu par mon prénom?

— Je vous en prie, cela suffit!

Sa bouche débordait d'injures, d'obscénités retenues mais son bras retomba. Il vacilla tel un colosse frappé en plein cœur, lâcha sa lanière de cuir, partit dans sa chambre en claquant la porte. J'aidai Raymond à se relever, lui essuyai le visage avec un linge humide. Il me repoussa.

— Fichez-moi la paix. Le Patron sait ce qu'il fait.

Le lendemain, je retrouvai maître et valet prostrés dans le salon. Steiner assis dans un fauteuil, face à la fenêtre ouverte sur la rue, caressait la tête de Raymond accroupi à ses pieds, en caleçon et tricot de corps blanc, une grande tache noire sous l'œil gauche, des mèches de coton enfoncées dans les narines. Jérôme, un bouton de fièvre sur la lèvre, les rides luisantes de sueur, était plus froissé que le lin de sa veste. J'aurais juré qu'il avait pleuré. Je respirais chez le couple comme un parfum de désastre. Steiner tendit le bras vers la ville, sa main parsemée de ces taches qu'on appelle taches de cimetière. Il me désigna la foule des flâneurs en contrebas qui s'interpellaient, riaient, se gorgeaient de soleil. Un vieux standard de jazz montait d'une maison voisine mêlé aux cris des marchands, aux klaxons des voitures et tout ce fracas retentissait en notes joyeuses, turbulentes.

— Regardez, Benjamin, elles sont partout, elles sortent de terre comme des rats. C'est une inondation. Je voulais gommer la jeunesse comme on efface une rature. C'est elle qui me submerge, me noie.

Au milieu du vacarme, un rire de fillette éclata, plus aigu, ricocha sur les vitres, jetant une intolérable note de fraîcheur dans cette atmosphère funèbre. Maître et valet se recroquevillèrent comme s'ils venaient de recevoir une pluie de balles. La rue était cette scène où se jouait leur défaite. Ils avaient perdu tout orgueil, se moquaient d'être pris pour ce qu'ils étaient : des rebelles en voie de fossilisation, l'alliance d'un séducteur aigri idolâtré par un idiot et dirigé par une vieille coquette confite en malveillance. Le grand magnétiseur était K.O.

J'en fus navré. Je descendis faire une course à la pharmacie. Ils me laissèrent sortir sans broncher, ce qui eût été impensable il y a encore une semaine. La musique braillait des échoppes en plein air, je passai

257

une boucherie, un kiosque à journaux. Il suffisait que j'entre dans une cabine, compose le 17, le numéro de la police et tout était fini. J'errai quelque temps, bousculé par les passants, pris une eau minérale dans un bar. Puis sentant cette liberté toute neuve me peser déjà, je revins à la maison. Raymond et Steiner, toujours posés dans l'encadrement de la fenêtre, n'avaient pas bougé. Leurs jambes baignaient dans une flaque de soleil. Le visage du maître était parcouru de tics analogues à ceux d'Hélène.

Dix jours plus tard, le valet et moi quittions Paris pour le Jura. Steiner était rentré entre-temps.

LES BOUCHES DE JEUNESSE

Il faisait chaud et lumineux. Nous étions le 1er juin. Le grand moment était arrivé. J'étais dans les plus sombres dispositions. Je ne me sentais pas bien. Je vieillissais à nouveau, m'auscultais avec une frénésie malsaine. Ma figure s'écaillait, de petites étoiles de sang éclataient sur mes pommettes et les ailes du nez. Un pli d'amertume encadrait ma bouche. La calvitie progressait de tous côtés comme une lèpre. Et je ne pouvais plus m'en ouvrir à Raymond. Depuis qu'il s'était fait rosser, que je l'avais « donné », notre intimité était morte. J'avais perdu mon titre, je n'avais plus droit à « Monsieur ». La comédie de la domesticité était finie. Il avait la lèvre fendue, les joues marbrées, l'œil tuméfié et sentait le savon. Pendant tout le trajet – nous étions partis à 6 heures – je fis grise mine, espérant susciter son intérêt. A bout de patience, je l'interrogeai.

— Dites-moi, Raymond, est-ce que j'ai l'air malade ?

Sans prendre la peine de se tourner vers moi, il articula :

— Vous avez toujours l'air malade.

Je fus choqué de cette désinvolture.

— Mais pas plus malade que d'habitude ?

Il fixait la route.

— Désolé, j'suis pas médecin.

Et comme pour clore cet échange, il chaussa ses lunettes de soleil. Je me torturais sur la gravité de mes symptômes. J'avais hâte de retrouver Hélène afin qu'elle m'éclaire sur ce point. Son diagnostic était presque toujours exact. Ce soir nous allions dormir ensemble pour la première fois depuis trois mois. Nous rejoignîmes Steiner et son épouse dans un restaurant italien du bord du lac Léman entre Genève et Lausanne, près du village de Coppet : ils tenaient avant de me rendre Hélène à me régaler dans un bon établissement pour récompenser ma loyauté. Je fus touché de cette attention. Nous mangions en terrasse, à l'ombre d'un hêtre, directement sur l'eau. J'eus beau commander les meilleures spécialités, un omble chevalier au jus de truffes noires, je ne pus rien avaler. Le trio respirait la gaieté et semblait avoir passé l'éponge sur l'écart de Raymond et les échecs récents. L'hostilité du domestique à mon égard se dissolvait dans la bonne humeur de ses maîtres. Au dessert Steiner, en grande forme, porta un toast :

— A notre fidèle Benjamin et à son retour avec la délicieuse Hélène !

Je dus faire une affreuse grimace car Steiner me considéra avec inquiétude.

— Que se passe-t-il, Benjamin ? Vous n'allez pas bien ?

Ils m'examinèrent tous trois préoccupés.

— Vous n'êtes pas grippé au moins ? demanda Francesca.

— Peut-être l'émotion de revoir sa fiancée, renchérit Steiner.

Cette sollicitude m'épouvanta. Je courus aux lavabos me regarder dans la glace et contemplai un vieil homme qui m'assura être moi. J'étais pareil à une vitre rayée de graffitis par des voyous. Le voyou en l'occurrence, c'était le temps. Et tous ces graffitis inscrits dans ma chair disaient la même chose : il est plus tard que tu ne le crois ! J'étais si fripé que j'aurais voulu me donner un coup de fer pour me remettre en ordre. Si seulement on avait une tête de rechange pour les jours de malheur ! Je paniquais : pourquoi maintenant, au seuil de l'été, me mettais-je à décliner ?

Steiner m'attendait dans le jardin. Il me prit par le bras et m'entraîna à l'écart pour une promenade en tête à tête comme il les affectionnait. Je revois sa magnifique chevelure ruisselant dans le soleil et son pantalon à pinces impeccable. Une bague à son doigt scintillait. Nous fîmes quelques pas sur la berge, une anse protégée par un cap où se trouvaient demeures patriciennes et chalets. Parfois le dos d'une perche ou d'une truite étincelaient à la surface de l'eau. On entendait au loin les flonflons d'un bastringue, les échos d'une noce célébrée dans un autre restaurant.

Steiner souriait. Sa chemise de popeline bleue faisait ressortir ses yeux. Il marchait pieds nus dans des sandales.

— Benjamin, vous le savez, je vous trouve sympathique.

Il m'ébouriffa les cheveux et cette familiarité me fit rougir.

— Nous nous sommes rencontrés dans des circonstances qui ont un peu faussé notre jugement l'un sur l'autre. Mais je vous porte une réelle estime, je vous l'assure !

Il m'entoura les épaules, affectueusement.

— C'est pourquoi votre air abattu m'inquiète. J'ai une suggestion à vous faire mais j'ai peur que vous ne le preniez mal.

— Je ne comprends pas.

En réalité je croyais savoir ce qu'il allait me proposer : m'enrôler dans son groupe, faire de moi son émule. J'aurais été déçu qu'il n'essaye pas.

— Ce que j'ai à vous dire est assez délicat et je ne sais par où commencer.

Il se planta devant moi et selon un de ses stratagèmes favoris me regarda de façon intense dans les yeux.

— Vous allez juger cela extravagant, j'en suis sûr.

Il se mordit les lèvres, se frotta le menton.

— Avez-vous remarqué, Benjamin, combien le visage de mon épouse est changeant selon les heures. Tantôt rajeuni, tantôt vieilli.

— Oui, cela m'a frappé.

— Vous pourriez penser que Francesca a un don particulier pour le maquillage, qu'elle doit ces variations au repos, à un métabolisme particulier. Vous auriez tort.

Il se tut un instant. J'attendais la suite, dérouté.

— Francesca, Benjamin, doit ce coup de fouet au fait qu'elle va presque chaque jour, quand elle est à la ferme, respirer aux bouches de jeunesse.

J'eus un pressentiment désagréable.

— Écoutez-moi bien, Benjamin, avant de m'interrompre : avez-vous observé que chaque femme émet en général un fluide, un climat qui lui est propre ? Que ce climat affecte et enveloppe ceux qui l'approchent ?

— Oui, peut-être...

— Avez-vous observé qu'avec l'âge ce subtil pollen diminue en intensité, se volatilise comme le bouquet d'un vin ouvert ?

— Mmm...

— Eh bien les captives qui séjournent dans nos caves s'évaporent elles aussi à la manière d'un parfum, exhalent un arôme en se fanant. Cet arôme, nous le canalisons dans un conduit qui le transporte jusqu'à des entonnoirs où Francesca, Raymond et moi allons respirer la jeunesse qui s'enfuit. Cette respiration nous revigore à notre tour.

Je me trouvais dans la situation du gogo confronté à un boniment ahurissant.

— Monsieur Steiner, je n'ai pas le sens de l'humour aujourd'hui. N'espérez pas me faire gober votre bobard.

— J'aurais été déçu, Benjamin, si vous m'aviez cru tout de suite. Et pourtant je dis vrai.

— Où voulez-vous en venir ?

Une malice diffuse dans ses yeux m'alerta. Il fit quelques pas devant moi, les mains derrière le dos.

— Encore une fois, Benjamin, votre santé me préoccupe. Vous avez un teint de cendres. Je veux vous aider. Voici ma proposition. Et je vous adjure, ne le prenez pas mal.

Il ferma les yeux comme pour se concentrer, posa ses deux mains sur mes épaules.

— Vous nous cédez Hélène, nous l'enfermons et vous avez le droit de l'inhaler, d'absorber sa formidable vitalité, vous qui en manquez tant.

Il avait dit cela d'un souffle. Je me dégageai, éclatai d'un rire nerveux.

— C'était donc cela ! Vous avez raté le dernier enlèvement et vous ne voulez plus me la rendre. Elle vous plaît trop. Vous vous fichez de moi : j'aurais dû me méfier.

Steiner fit une grimace. Je bégayais de colère.

— Vrai... vraiment, vous ne manquez pas d'air. Vous me prenez pour un couillon. Je veux récupérer Hélène ou... ou je fais un scandale dans ce restaurant.

J'étais en sueur.

— Ne vous fâchez pas, Benjamin. Le contrat tient toujours. Je l'avais juste reformulé autrement.

— Je ne veux pas en entendre parler. Ce qui est promis est promis. J'ai accompli ma part du travail, rendez-moi Hélène.

Steiner eut un sourire de cordialité méprisante.

— C'est bon, Benjamin. Oubliez ce que je viens de vous dire. Hélène sera à vous dans une heure.

La vieille ganache n'avait pas beaucoup insisté ; je fus étonné de sa reddition immédiate.

Nous remontâmes, Raymond et moi, vers la frontière française via le lac de Joux. Francesca et Jérôme nous précédaient dans le quatre-quatre. Le domestique m'ignorait, tout à sa conduite. Les lacis me donnaient la nausée. L'incident avec Steiner m'avait rendu nerveux. Depuis des semaines, je redoutais d'être réuni à Hélène. Je n'osais croire que nous allions repartir tous deux ce soir sur Paris comme si de rien n'était. Durant le trajet, je préparais ma défense, alignais toujours les mêmes arguments. J'étais déchiré. Le repentir m'attaquait en rafales et en rafales l'égoïsme lui répondait. De misérables scénarios me trottaient dans la tête. La proposition de Steiner était sordide, d'un charlatanisme éhonté.

— Dites-moi, Raymond.

Je m'éclaircis la gorge.

— Que savez-vous des bouches de jeunesse ?

Il feignit la surprise totale.

— Qui vous en a parlé ? Le patron peut-être ?

J'opinai.

— C'est notre secret, je ne peux rien en dire.

— Raymond, entre nous, c'est une blague, une mauvaise blague ?

— Pas du tout.

Il était soudain d'une amabilité suspecte. Il reprit.

— Par curiosité, savez-vous mon âge ?

— 35 ans, 40 ans, peut-être ?

— Non, j'ai 52 ans.

Je ne voulais pas le croire. Il dut me montrer sa carte d'identité.

— Et alors ?

— Je dois cet état aux bouches de jeunesse où je

264

me rends un après-midi par semaine depuis cinq ans.
Toutes nos pensionnaires, je les ai respirées : cela vaut
n'importe quelle cure !

— Vous vous foutez de moi, Raymond, tout le
monde se paye ma tête dans ce groupe.

Derrière les ecchymoses et les hématomes qui
s'atténuaient, je détaillais chaque millimètre de son
visage, suivais du doigt le tracé de ses rides, de ses
pattes-d'oie, tâtais le cuir de la peau. A 52 ans, il était
plus frais que moi.

— C'est le patron qui vous a proposé une séance ?
— Oui, pourquoi ?
— Vous avez de la chance, monsieur. C'est vrai-
ment qu'il vous aime bien !

Le salaud m'avait touché au vif !

Nous arrivâmes au milieu de l'après-midi. Je ne
reconnaissais plus les lieux : les herbes hautes enva-
hissaient le chemin, le vert des sapins éclatait de sève.
Une forte odeur de résine montait de la forêt. La
montagne était plus souriante qu'en hiver. Seul le
Fanoir, au milieu de cette régénération, détonnait
avec son toit de tôle rouillé, sa façade décrépite. La
vue de cette ferme réveilla de désagréables souvenirs.
Notre coupé, parqué dans le jardin, luisait comme un
sou neuf, prêt à dévorer du kilomètre. Jérôme et
Francesca me souriaient devant l'entrée. Leurs assi-
duités me semblaient louches. Je jetai un œil vers la
fenêtre du premier étage où nous dormions en février
avec Hélène mais les rideaux ne frémirent point. Je
demeurais cloué au sol, incapable de faire un pas.
Tous les événements de l'hiver affluaient en masse et
me paralysaient. Je répétais dans ma tête le plaidoyer

que j'allais développer auprès d'Hélène : j'étais prêt à me jeter à ses genoux pour implorer son pardon. Il n'était rien que je souhaitais plus alors que de la prendre dans mes bras. Steiner ouvrit la porte, me héla.

— Venez, Benjamin, Hélène vous attend. Nous l'avons remise dans la pièce du haut, sous les toits. Voici la clef de sa chambre. Allez la délivrer vous-même.

Je crus qu'il allait renouveler ses instances. Mais non. Devant moi s'étendait le vestibule aux animaux empaillés. Je ne pus réprimer un tremblement. Je n'avais qu'à franchir la porte, monter l'escalier. Hélène savait que nous étions là, elle avait dû entendre le moteur des voitures, le claquement des portières. Je m'étonnais qu'elle ne m'ait pas déjà appelé. Tous les soirs, quand je rentrais à la maison, elle me hélait de sa voix cristalline.

— Eh bien, Benjamin, qu'attendez-vous ?

La haute silhouette de Steiner se découpait au pied de l'escalier. Il montrait le visage avenant de qui va présider à d'heureuses retrouvailles. Derrière nous dans le jardin, Francesca et Raymond déchargeaient les bagages. Je baissai la tête, sentant mon cœur battre à toute vitesse. Je gravis les premières marches.

— Ah, j'y pense, Benjamin. Il y a une chose que j'ai oublié de vous mentionner... Hélène ne vous aime plus.

Je suffoquai, me tins à la rampe.

Il avait lâché ces mots négligemment.

— Elle ne vous pardonne pas de l'avoir délaissée.

— Je ne vous crois pas, vous mentez encore une fois.

266

— Vous voulez le lui demander vous-même ? Allez-y, montez, la voie est libre.

Je chancelai d'énervement, j'étais anéanti, Steiner confirmait mes pires pressentiments.

— Venez, je veux vous faire entendre quelque chose.

Il m'emmena dans le salon. Un lecteur de cassettes était posé sur la table. Il l'enclencha. C'était la voix d'Hélène, oppressée :

« Non, Francesca, je ne peux oublier qu'il m'a lâchée sans résister... Il s'est rendu sans se battre. J'avais espéré, c'est naïf, qu'il viendrait me délivrer... mettrait le monde à feu et à sang pour moi. Mais non, il a courbé l'échine avec une docilité d'esclave. Il m'a tellement déçue. C'est un pantin sans âme ni courage. Je ne pourrai jamais reprendre la vie avec lui... Quand je pense à l'argent qu'il m'a volé alors que je l'entretenais. Et il croyait que je ne remarquais rien ! Dès mon retour, je balance tout à la presse, aux éditeurs : ils auront les preuves ligne à ligne de son plagiat. »

Steiner interrompit la bande. J'étais foudroyé. Il la fit rejouer une autre fois. Chaque mot s'inscrivait dans mon cerveau comme une sentence de mort.

— Je ne comprends pas, dans tous ses messages précédents, elle m'assurait qu'elle m'avait pardonné.

— De quand date le dernier ?

— D'il y a un peu plus de trois semaines, avant sa tentative d'évasion.

— Cela a été enregistré ce matin, Benjamin, avant que nous ne partions pour le restaurant. Beaucoup de choses se sont passées depuis trois semaines.

Je m'effondrai en sanglots sur le torse de Steiner

Je ne voulais pas y croire, j'avais tout perdu, Hélène m'avait trahi. Francesca et Raymond nous rejoignirent. Ils m'enveloppèrent dans leurs bras, cette triple étreinte m'émut au-delà de tout. Je les dévisageai l'un après l'autre cherchant sur leurs physionomies des marques d'amitié, d'encouragement. Francesca passa une main sur mes joues, sa paume était chaude, caressante. Ma raison était comme vitrifiée. Je ne savais plus où j'en étais. Je redoublai de pleurs. Steiner le tentateur souffla à mon oreille :

— Il me la faut, Benjamin, absolument. Nous l'aimons, vous entendez, et nous préférons la détruire plutôt que de vous la rendre. Un mot de vous et je l'isole à jamais. En échange vous aurez tout.

Je ne balançai plus et perdis connaissance. Mon malaise valait consentement.

Une heure plus tard, j'étais installé dans un joli cabinet sans fenêtres qui embaumait l'encaustique. J'avais le nez et une partie de la tête plongés dans un inhalateur géant, un instrument de forme conique en acajou qui ressemblait à l'embouchure évasée des vieux gramophones. L'appareil couvert à l'intérieur d'un film plastique était vissé par une plaque de cuivre sur une petite table. Les yeux fermés, les lèvres mi-closes, je respirais à longues goulées l'air frais qui en sortait, je m'abîmais dans un souffle délicieux, celui de ma maîtresse qui se consumait lentement, me prodiguait l'encens divin de sa jeunesse. La suavité de ce parfum me dispensa presque de boire et de manger pendant des jours. C'était comme une transfusion de sang neuf, un principe volatil qui se déposait sur ma figure et me reconstituait. Cueillant cette vie qui passait, je revécus par le nez toute notre histoire, je reconnus les odeurs capiteuses de ma compagne, les riches matières qui la couvraient, les effluves luxueux dont elle s'aspergeait. Tout cela montait vers moi en une puissante oraison qui me grisait et parfois, suffoqué par cette merveilleuse palpitation, je devais me mettre nu afin que tout mon corps en bénéficie. Quand les bouffées devenaient trop violentes, je m'allongeais sur un divan et reprenais haleine. C'était un abominable festin de souffles, un vrai cannibalisme olfactif. J'étais ivre comme si j'avais bu de la féminité pure. Je thésaurisais de l'énergie : cette belle plante en agonisant me remettait au monde. Qu'Hélène après plus de trois mois de claustration ait été condamnée par celui-là même dont elle attendait la liberté, je ne voulais plus le savoir. Elle était sur le point de me livrer, j'avais devancé sa félonie. Sans soupçonner Steiner un instant de tricherie, n'envisageant même pas l'énormité de ce que j'étais en train de commettre, je m'abandonnais à cette extase.

Je trouvais normal qu'Hélène me cède un peu de cette vigueur dont elle disposait en abondance, que ceux qui prospèrent donnent à ceux qui dépérissent. J'étais le crépuscule qui se vengeait du matin. De fait, je me sentais renaître, une incompréhensible réaction chimique infusait de la force dans mes veines, reconstituait ma musculature, raffermissait ma peau. Je demeurai là près de deux semaines, collé à cet embout, buvant ma fiancée à grands traits.

Après cette longue respiration, j'eus une flambée de jouvence. Je n'étais plus le même homme : mes cernes avaient disparu, mes cheveux brillaient, je faisais presque mon âge. Quelque chose de nouveau comme une fine pellicule de magnétisme s'était déposé sur mes traits. L'idée que je pus me sentir mieux parce que je venais de passer quinze jours au grand air de la montagne ne m'effleura même pas. Rajeuni par ce bain lustral, je voyais un destin nouveau s'ouvrir à moi. J'étais une autre personne, j'avais trouvé une famille. J'ai toujours envié les hommes qui se rassemblent en fraternités complices et infusent des rites dans leur vie. Dans toute société, m'avait dit une fois Steiner, il existe un petit nombre d'individus qui se soustraient aux lois, se rient des commandements et voient plus loin que la multitude. Je voulais en être, j'étais prêt à tout pour gagner l'estime du trio. L'avenir s'offrait à moi sous les meilleurs auspices.

Un matin, alors que rien ne le laissait prévoir, Steiner et Francesca me convoquèrent dans la cuisine et me prièrent un peu sèchement de partir. Je mis quelque temps à les prendre au sérieux.

— Ce n'est pas possible. Et notre marché ? Vous m'aviez promis...

— Nous avons tenu parole, Benjamin. Vous nous avez donné Hélène, vous l'avez respirée, nous sommes quittes.

— Mais pourquoi me renvoyer, qu'est-ce que j'ai fait ?

— Vous ne nous servez plus à rien.

— Je pensais... je pensais que nous étions amis !

— Mais nous resterons amis, Benjamin... amis à distance.

Je mendiai une prolongation, plaidai ma cause. J'étais même prêt à payer un loyer, ma quote-part. En vain. Ils ne m'avaient jamais aimé. Ils me congédiaient comme un sous-fifre, un inutile. Ils ne m'estimaient pas assez pour me confier des tâches subalternes sous le contrôle de Raymond. Ce fut le coup de grâce, j'étais sonné. Ils me lâchaient alors que j'avais tout sacrifié pour eux. Je me révoltai, allai m'enfermer dans ma chambre à double tour, puis, devant leur absence de réaction, menaçai de les donner à la police. Steiner me prit au mot, me jeta dans sa voiture, m'emmena à la ville voisine, s'arrêta devant la gendarmerie, me traîna jusqu'au perron.

— Allez-y, déballez-leur vos petits secrets.

Un gradé sortait. Steiner le héla, ils se connaissaient.

— Brigadier, ce monsieur veut vous signaler une série de crimes commis chez moi.

Le brigadier sourit, lui tapa sur l'épaule et sans même me gratifier d'un coup d'œil, continua son chemin.

— Dites-vous bien, souffla Steiner, que tout cela vous passe au-dessus de la tête. Vous êtes un petit homme pris dans des événements trop vastes pour lui.

En guise de dédommagement, il me donna 20 000 francs et me souhaita bonne chance. Raymond, en maillot de corps et cuissières de lycra – il faisait du vélo pour se dépenser – m'accompagna à la gare de Pontarlier. Le petit putois ne desserra les dents que pour me rappeler au silence. Ils détenaient un dossier sur moi. C'est ainsi que je fus remercié de m'être compromis pour eux jusqu'au déshonneur.

J'en arrive donc au terme de cette lamentable équi-

pée. Je me rendis d'abord chez Hélène pour y récupérer tout ce qui aurait pu me compromettre, prenant
soin de n'être vu de personne. Je retournai ensuite
dans mon taudis du 19e arrondissement dont j'avais
continué à payer le loyer. Je repris mes habitudes de
vieux bohème. Depuis un an, je baignais dans le luxe,
j'étais servi et je frémissais à l'idée de retrouver la
dèche. Je me sentais misérable, minuscule. Je tentai
de poursuivre mon deuxième roman : j'avais beau piller les autres avec une rapacité accrue, recopiant cette
fois des pages entières, je n'arrivais à rien. Steiner
m'avait menti, je n'étais pas doué. J'évitai de penser à
Hélène pour ne pas m'effondrer sous la honte ou le
chagrin.

Deux mois passèrent. Je vivotais. Un matin, j'avais
rendez-vous avec mon éditeur pour lui passer la première mouture du livre. J'étais dans un état de folle
anxiété. Je me rasais quand une douleur gagna la partie gauche de mon visage ; je raidis la mâchoire, ma
bouche s'étira en une bizarre grimace, mon œil trem-
bla et brouilla ma vision. Cela dura une demi-minute.
Mais une heure plus tard, devant l'éditeur qui s'extasiait sur des phrases de Nabokov, de Victor Hugo, de
Gide, de Valéry que je m'étais appropriées sans rien
changer, à la virgule près, la contraction me reprit.

— Vous avez mal aux dents ? Vous retroussez les
babines comme si vos gencives étaient douloureuses !

Je m'enfuis sur-le-champ, laissant toutes les feuilles
éparses du manuscrit sur la table. Je courus, courus
jusqu'à en perdre haleine. Dans toutes les vitrines où
je m'apercevais, je ne voyais que cet affreux spasme
qui me déchirait la face en deux. Je restais pelotonné

dans mon lit, des heures durant. Le tic s'arrêtait et recommençait dès que je me regardais dans un miroir. Une semaine s'écoula. Un jour, j'étais en pleine crise, je souffrais d'une atroce migraine, ma paupière tombait comme un volet qui penche de travers, ma joue gauche menait une sarabande sans souci du reste, se plissait, se déformait à volonté. Soudain tout s'éclaircit : cet être convulsé que reflétait la glace de la salle de bains, ce n'était pas moi, c'était Hélène ! Je reproduisais son tic d'angoisse. Je me l'étais incorporée en la respirant, sa figure se superposait à la mienne. J'avais cru lui dérober sa fougue, elle m'avait cédé ses dérèglements. C'était sa vengeance. Elle me rattrapait en déteignant sur moi, surgissait du plus intime pour me déposséder. Ma propre abjection remontait et l'idée de la réprobation que j'allais susciter me terrifia. Je me mis à vivre comme un reclus : j'évitais les coins trop éclairés, les concentrations humaines. Je redoutais qu'on ne reconnaisse Hélène sur moi, qu'on me dénonce comme son ravisseur. Son double silencieux m'accompagnait partout, prêt à jaillir au moment le plus inattendu. Et tandis qu'une moitié de ma figure se tordait, l'autre périclitait à nouveau. Tous les effets bénéfiques des bouches de jeunesse avaient disparu même si j'avais des îlots de rémission, des étendues de peau lisse. Comment avais-je pu croire à ce remède miracle ? à cette foutaise ? Et quand je m'ausculte aujourd'hui dans une glace, je vois deux choses : un vieillard qui progresse à mes dépens, une jeune fille espiègle qui grimace.

Depuis je suis à l'agonie. Dans une pharmacie, j'ai acheté quelques-uns de ces masques que vous m'avez vu porter. Jusqu'à notre rencontre, j'allais dissimulé pour cacher mon larcin, les traces de mon ignominie. J'ai cessé d'écrire et à bout de ressources j'ai dû quitter mon réduit pour un clapier encore plus petit, plus sordide. Je fuis toute société, ne sors que la nuit. Je me réfugie dans la rue, dans la grande pouillerie de Paris. C'est sur les quais de l'île Saint-Louis que la police m'a trouvé, il y a trois jours, et m'a emmené à l'Hôtel-Dieu. J'étais à bout. C'est en vous voyant que j'ai décidé de parler. Vous aviez l'air plus douce, plus disponible, plus égarée aussi que les autres. Je n'ai plus rien à perdre désormais, je veux me racheter même si c'est au prix de ma vie. Plusieurs fois j'ai appelé les Steiner dans le Jura, la ligne est débranchée. Quant aux renseignements, ils n'ont personne sous ce nom. Madame, il faut que vous m'aidiez, il faut que vous retrouviez Hélène.

Benjamin avait élevé la voix, il criait presque. La cathédrale bruissait de mille rumeurs, il était 11 heures. La foule des promeneurs s'écoulait en un flux continu de part et d'autre de la nef centrale. Nous étions plus seuls que sur une île déserte. Je n'avais pas renoncé à la curiosité puérile de voir son visage. Il consentit de mauvaise grâce. Je fus horriblement déçue. Sans masque ni bonnet, Benjamin Tholon était exactement comme il s'était décrit : un vieil enfant chiffonné à l'expression battue. L'œil était vide, le teint blafard. J'avais du mal à croire qu'un être aussi falot ait pu connaître de telles péripéties. Le chagrin

s'était posté sur cette figure, l'avait refaçonné. J'imaginais Hélène, tombant amoureuse de lui, apitoyée
sans doute par son air souffreteux.

— Alors, vous êtes satisfaite ?

Il m'avait saisi l'avant-bras. Il se pencha à mon
oreille. De près ses lèvres étaient crevassées.

— J'ai confessé mon forfait. A vous de prendre la
relève, je vous en prie.

Il avait à peine parlé que sa physionomie s'altéra.
Une salve de tics lui souleva la joue, son œil gauche
clignait comme un feu de signalisation déréglé. Je
pensai immédiatement à une attaque ou à une hystérie de conversion. La face était fendue en deux dans
le sens vertical à partir de l'arête du nez. On eût dit
que dans la partie ravagée une créature luttait pour
s'affranchir. Sous le patronage de tous les saints qui
peuplaient les niches de l'église, il ressemblait, ainsi
contorsionné, à ces déments dont le Moyen Age était
friand et qui voyait en eux des émissaires du divin.

— Regardez, c'est elle qui se démène là sur ma
figure. C'est son heure, elle vient me punir.

Il gloussait presque.

— Je vous en supplie, allez la chercher, dites-lui
que je ne me pardonnerai jamais de l'avoir livrée à
ces forbans.

Un rire frénétique le secoua. Il me tendit d'une
main tremblante un bout de papier.

— Je vous passe le relais. Moi, je dois payer.

Ses yeux s'éteignirent d'un coup comme si on avait
coupé le courant, la convulsion cessa. Je fus presque
plus impressionnée par cet arrêt que par l'accès lui-
même. Profitant de mon étonnement, il s'enfuit bien-

tôt avalé par la masse des visiteurs. A quoi bon le poursuivre ? J'ouvris le pli : c'était un plan pour accéder jusqu'au Fanoir avec une carte approximative de la région à partir de Besançon. Au-dessus du plan était écrit en majuscules « Merci ». J'eus un léger étourdissement et dus me tenir au dos de la chaise pour ne pas chanceler.

ÉPILOGUE

De retour chez moi, rue Notre-Dame-de-Recouvrance, je m'allongeai à même le sol, mis à tue-tête un disque de l'Égyptien Farid El Atrache, un de mes chanteurs favoris, me préparai un joint et restai là à fumer, les yeux grands ouverts. J'étais si dévastée que je me sentais soulevée du sol. Farid répétait Awal Hansa de façon hypnotique, la foule grondait de plaisir, je ne comprends pas l'arabe, chaque année je me promets de l'apprendre en hommage à mon père. Je sombrai et dormis 24 heures d'affilée, ayant coupé le son du répondeur qui cliquetait sans arrêt. Ferdinand m'avait appelée au moins une dizaine de fois depuis Antibes. Je faillis téléphoner à Aïda. Je me ravisai. Si elle avait pleuré, je n'aurais pas résisté.

Je rassemblai quelques affaires dans un sac de voyage et pris l'autoroute du Sud à bord de ma Coccinelle qui menaçait de rendre l'âme à tout instant. Arrivée à hauteur de Dijon, je bifurquai sans réfléchir et mis le cap sur l'est au lieu de poursuivre sur Mâcon et Lyon. Je n'irais jamais retrouver Ferdinand : l'amour m'avait quittée comme on enlève une robe. J'étais vidée mais heureuse : une douleur surmontée, c'est presque une joie de gagnée. Depuis trois jours les phrases de Benjamin passaient dans mon sang, y poursuivaient leur obscur travail de persuasion. De cette fable dont j'avais été l'auditrice, je devenais peu à peu partie prenante. J'avais déplié le plan de Benjamin sur le tableau de bord : son écriture fine, penchée se confondait avec le tracé des routes et des lignes. Le soleil encore haut frappait mon visage avec une rage éblouissante par le toit ouvrant. Je levai la tête pour qu'il verse sur moi sa délicieuse brûlure.

Quelque chose m'appelait là-bas dans ces montagnes que je n'arrivais pas à définir. Je dépassai Besançon, me dirigeai vers Pontarlier. A mesure que je montais, les maisons s'alourdissaient, gagnaient en épaisseur. Des arches de platanes formaient une haie de fraîcheur au-dessus de la nationale. L'air était d'une incroyable douceur et l'herbe plus drue. Je côtoyais des ravins où l'ombre tenait la lumière en échec, des gorges étroites surplombées de roches plissées comme des mentons de bouledogues. Sur des viaducs vertigineux, de petits tacots promenaient en équilibre leur cargaison de voyageurs. Il y avait un charme fou dans ces villages écrasés de silence où le seul bruit d'une fontaine suffisait à distraire le passant. J'arrivai en zone d'alpages sur de hauts plateaux accidentés plantés de sapins par milliers. Le mince ruban de la route serpentait au milieu des prairies gorgées de vert. Des vaches aux lourdes mastications

méditaient *sous des télésièges arrêtés dont les
nacelles se balançaient en cadence. Je m'engageai sur
une bande d'asphalte au milieu d'une forêt de coni-
fères. La lumière avait baissé, je croisai quelques voitures pleines d'enfants rieurs et de vacanciers bronzés
qui baguenaudaient. Il faisait presque frais, la nature
embaumait, des torrents galopaient sous les ponts
dans une explosion d'écume. Comment croire que sur
cette parcelle de terre riante un affreux projet soit en
cours ?*

*Une espèce d'exaltation m'emplit. C'était un
odieux pèlerinage que j'accomplissais et pourtant je
jubilais. L'atmosphère avait pris une densité particulière. Je tournai dans un chemin, le châssis de la
voiture raclait le sol, je me garai à l'orée d'un sous-
bois. En principe, au bout de cette sente tortueuse se
trouvait le Fanoir, le plan de Benjamin était formel.
J'avais décidé d'achever le périple à pied pour éviter
d'être repérée. Je pris à travers champs, heureuse
d'avoir mis un jean et des baskets. J'avais enroulé un
pull-over autour de ma taille. J'enfonçais dans la terre
meuble. Les ombres denses des bois s'allongeaient,
les basses branches des sapins sortaient comme
piquants de troncs gris et mousseux. Une buse planait
en silence, ailes étendues, en cercles concentriques et
je me demandai si c'était moi qu'elle visait. Le soleil
allait se coucher d'un instant à l'autre, il était près de
8 heures.*

*Les reliefs des crêtes s'estompaient, des bancs de
vapeur flottaient dans lesquels j'entrais comme un
nageur dans la marée. Parvenue au sommet d'un
monticule, j'aperçus d'abord la haute falaise au front*

*boisé; elle encadrait la ferme à la manière d'un cha-
peau au-dessus d'une petite tête. Progressant courbée
en deux dans l'herbe humide je discernai enfin le
Fanoir avec ses pans de toit qui touchaient presque le
sol. L'avoir sous les yeux, conforme aux descriptions
de Benjamin, me coupa le souffle. Tout était silencieux : le chemin d'accès se trouvait presque effacé
par la végétation. Personne n'avait roulé là depuis
longtemps. On aurait dit qu'un sort avait frappé cet
endroit. Le bâtiment semblait à l'abandon. Je me perdais en conjectures. Après tout, les événements rela-
tés par Benjamin remontaient à plus d'un an. Les
Steiner avaient peut-être déménagé.*

*La nuit était tombée, envahie de bourdonnements
d'insectes, de craquements, de croassements. Tapi à la
lisière de la forêt, le Fanoir, tout délabré qu'il fût,
dégageait une formidable puissance. Il paraissait
endormi mais il avait enregistré ma présence, il développait des antennes spéciales pour sentir les
humains, distinguer l'ami de l'ennemi. Ce mouroir de
la jeunesse m'attendait. Je fis le tour de la ferme,
armée d'une torche que j'avais pris soin d'emmener
avec moi. Un des volets du rez-de-chaussée était mal
fermé. J'attrapai une branche pour faire levier : la
branche se cassa, le volet s'entrouvrit. Je saisis une
pierre, cassai le vitrage. Je dus m'y reprendre à plusieurs fois. J'enjambai le cadre de la fenêtre, atterris
dans une pièce vide à l'odeur de renfermé, jonchée de
débris. J'explorai ce qui avait dû être une salle à manger avec une large cheminée dans un angle, prospectai
chaque recoin. J'allai dans le vestibule ; une tête de
sanglier qui avait perdu ses yeux et ses défenses pen-*

dait à demi descellée du mur. *Je butai sur une chaise aux barreaux cassés.*

Je me sentais oppressée de façon ridicule. Un escalier en bois montait vers les étages, je ne reconnaissais plus exactement le décor que m'avait dressé Benjamin. J'eus un doute. Le chalet tout entier grinçait en de brèves explosions tel un vieux meuble soumis à toutes les avanies. Je poussai une autre porte, entrai dans ce qui avait dû être une cuisine. Une saleté gluante recouvrait les poignées, les parois. Sur une table au linoléum brûlé trônait une casserole toute cabossée. Un vieux fourneau ouvert dégageait un relent de charbon mouillé. Dans l'évier je réveillai une araignée. Braquant ma lampe sur les murs, j'eus la surprise de trouver le panneau de bois mentionné par Benjamin. Il était entrebâillé. Un escalier aux marches de pierre conduisait aux sous-sols. Maintenant tout correspondait avec une précision suspecte. J'avais essayé d'actionner le commutateur, il m'était resté dans les doigts. Il faisait presque froid. La lueur de la torche tremblait, délimitait une plinthe, un carreau brisé, un fragment de tissu. J'arrivai dans une petite salle voûtée, encombrée de cartons jaunis, de cageots de bois, de pioches. Je cherchai la chaudière qui avait tellement frappé Benjamin mais à la place une cloison de parpaings grossièrement cimentés barrait le passage. Le fond de la cave était bouché. Je sondai la maçonnerie avec l'embout de ma torche. Cela rendait un son plein. J'avisai sur le sol, au milieu d'un amas de fils électriques et de vieux boîtiers, un matelas maculé de taches. De la moisissure s'était déposée dessus. Mes jambes flageolaient. Je m'assis pour me remettre.

Je crus entendre des pas à l'étage. J'éteignis la lampe, attendis. Tout un peuple d'impalpables respirait autour de moi, de minuscules bruissements créaient dans la ténèbre une rumeur de foule. Des formes étranges surgissaient, s'évanouissaient. J'aurais voulu me lever, parler, crier à l'aide. Je restais clouée sur ma paillasse. Je me sentais espionnée de partout.

Tout me devenait clair peu à peu : « ils » m'avaient envoyé Benjamin à l'hôpital pour m'attirer ici et m'enfermer. « Ils » m'avaient choisie moi spécialement au terme d'une minutieuse enquête, avaient déployé des trésors de patience, de subtilité pour m'appâter et j'avais mordu. Ferdinand n'était peut-être lui aussi qu'un rouage du piège. J'étais allée chercher le plus déjeté, le plus dérisoire de mes patients qui s'était épanché pour m'intriguer. Je ne lui en voulais pas. J'étais presque flattée d'avoir été jugée digne de figurer sur la liste des prisonnières.

Oui, je les admirais : ils m'avaient fait désirer ma propre ruine, mon propre enfermement. A quoi bon, de toutes les façons, attendre le verdict du temps : dans quelques années je ne serais plus une source de lumière, j'allais arriver à cet âge où le visage tentateur de la jeune fille se transforme dans la figure austère et sèche de la femme mûre. A toute vitesse les événements des derniers jours me revinrent en mémoire, je revécus cet enchevêtrement de coïncidences et de hasards qui prenaient l'allure d'un complot admirablement ourdi. Faire croire à une maison inhabitée, me laisser venir jusqu'ici, quel talent !

A mon tour de payer, d'acquitter mon dû. Je

m'allongeai complètement sur le matelas, les bras le long des flancs : mes os me pesaient, mon corps s'enfonçait comme si j'étais déjà allégée de moi-même, délestée de ma vieille carcasse. Ils allaient donc surgir le vieux libidineux, le nain crapoteux et la sorcière grasse et j'ignorais si leur intrusion signifiait pour moi délivrance ou atrocité. Je voulus fuir, j'étais trop lasse, une force me clouait au matelas. J'allais rester enfouie dans les entrailles de cette montagne. Je me suis endormie et réveillée plusieurs fois. J'avais soif. Personne ne savait où j'étais, je reviendrais au monde vingt ans plus tard, je n'aurais plus ma place parmi les hommes. J'ai appelé au secours, j'ai hurlé le nom de Ferdinand, j'ai vu Aïda qui pleurait devant moi et sa natte se déployait en boucles et en vagues jusqu'au moment où elle s'enroulait autour de son cou et l'étranglait.

Enfin une porte se mit à battre en haut de l'escalier. Ça y est, ils venaient m'emmener. Je claquais des dents, la tête me tournait mais dans cette terreur gisaient une excitation, une impatience totale. J'avais tellement attendu ce moment, moi qui rêve depuis toujours d'être une grand-mère. J'allais peut-être rejoindre Hélène dans son cachot, nous deviendrions amies en sénescence, deux petites vieilles sans vie antérieure. Je tendis mes bras dans l'obscurité pour leur faciliter le travail. De grâce, emportez-moi, séquestrez-moi.

Mais non, ce n'était qu'un courant d'air qui faisait claquer la porte. Elle continua à taper, stupidement, mécaniquement. J'en fus presque désappointée. Je me levai sur les coudes, mes tempes étaient doulou-

reuses, le sang battait à mes oreilles, je sentais des élancements dans les reins. Mes yeux accoutumés au noir discernaient une vague lueur au pied des marches. Des mouches bourdonnaient autour de moi. Étais-je déjà décomposée, réduite à l'état de charogne ?

Une senteur acide montait de mon corps, un mélange de peur et de transpiration. J'allais m'évanouir. Je me mordais les lèvres. Je ne pouvais croire que je m'étais trompée. J'avais dû vieillir sans m'en rendre compte. Je passai la main sur mon visage pour y déceler des rides, des crevasses, des grosseurs. Je ne perçus rien d'anormal. J'avais encore un nez, un front et toute la masse de mes cheveux. J'avais hâte de me voir dans une glace. J'avais faim, terriblement faim et j'avais honte d'une telle impulsion au moment où je me préparais au grand saut.

Je me levai de ce matelas puant, étourdie, transie de froid jusqu'aux os. Les relents de moisi m'incommodaient. Je m'époussetai, montai d'un pas vacillant les marches glissantes. Je n'avais aucune notion de l'heure. Je me sentais toute courbatue. Je poussai la porte qui donnait sur la cuisine. La clarté filtrait par les interstices des volets fermés. Les rayons de soleil poignardaient les coins d'ombre, illuminaient des corpuscules en suspension, des galaxies de poussière. Je bousculai le cadavre d'un petit rongeur et dans une encoignure un oiseau mort, au duvet ébouriffé, reposait sur un nid de brindilles.

J'ouvris la fenêtre, les volets, enjambai le rebord. Mille taches de couleur dansèrent devant mes yeux, la lumière me brûlait. C'était le petit matin. Tout bruis-

sait d'agitation : un parfum d'herbe mouillée me saisit. L'air était pur avec juste ce qu'il faut de fraîcheur
pour être vivifiant. Un gros soleil orange filtrait derrière la cime des arbres, réveillant toutes les couleurs
de la montagne.

Sur un tertre, une biche me regardait sans frayeur,
la tête inclinée, les pattes frémissantes. Elle portait en
médaillon une tache blanche au milieu du poitrail.
Elle voulait me dire quelque chose, ses yeux ourlés de
longs cils tentaient de m'envoyer un message. Elle
hocha la tête plusieurs fois, gratta le sol de ses sabots
et me quitta sans hâte, avec une grâce pointilleuse,
dans un fracas de branches cassées.

Autour de moi, de multiples ruisseaux chantaient,
berçaient l'oreille avec des babillages d'enfant et une
petite cascade se brisait dans un bouillonnement de
bulles. De longues chandelles s'allumaient au sommet
des résineux, un merle bavard contait sa sérénade à
l'écorce d'un arbre. Partout des vols d'oiseaux
striaient le ciel, les austères sapinières gazouillaient.
De gros nuages blancs, aux joues d'anges gonflées,
passaient très haut. C'était une merveilleuse symphonie de bruits, de couleurs.

Un immense courant de sympathie m'entourait.
Toute la nature me pressait de revivre, de retourner
parmi mes frères humains, d'affronter le siècle à nouveau. Dans cette ferme désertée, j'avais été gratifiée
d'une seconde naissance. Comment avais-je pu en
avoir peur ? Que le Fanoir n'ait jamais existé que
dans le cerveau d'un illuminé ne l'en rendait pas
moins précieux pour moi. La force d'un récit ne
réside pas dans sa conformité aux faits mais dans les

*ruptures qu'il provoque, le dynamisme qu'il transmet.
Même en fabulant, Benjamin m'avait rendu un puissant désir de vivre. J'avais eu raison de commettre
avec lui la même erreur qu'avec les autres : croire à ce
qu'il me racontait. Je me sentais inexplicablement
heureuse, ressuscitée. Le vent me nettoyait des
miasmes de la cave. Une surabondante promesse de
lumière, de gaieté tombait du ciel.*

*A quelques centaines de mètres, un muret de
pierres sèches marquait la frontière d'avec la Suisse.
Je le franchis plusieurs fois comme pour me rire des
limites : hop en Suisse, hop en France. Retournant
vers le chalet, je trébuchai sur des racines de sapins
qui saillaient à la façon des tendons d'une main
décharnée. Je me laissai tomber de tout mon long
dans la fourrure trempée des champs, enfouis en riant
ma figure dans les mottes grasses et fertiles ; devant
moi, émergeant d'une pierre plate, dépassait, souillée
de terre, une minicassette audio. Je l'extirpai, la considérai sur les deux faces. Il n'y avait aucune indication
de contenu. Je l'essuyai sommairement, la mis dans
ma poche, me promettant de l'écouter plus tard.*

*J'étais libre de mes mouvements, riche de promesses et de possibilités sans fin. J'éprouvais une amitié intense pour toute la variété des êtres. Je retrouvai
au bout du sentier ma voiture saupoudrée de poussière. Je me suis regardée longtemps dans la glace ;
j'étais sale, avec des traînées noirâtres sur les joues,
des brins d'herbe partout, mes cheveux étaient emmêlés comme un buisson de ronces mais je n'avais pas
changé. J'avais la même carnation mate, les mêmes
cils recourbés et ma peau n'était pas froissée comme*

un vieux torchon. J'étais toujours une femme de 26 ans, je n'avais plus à expier le péché d'exister. Je klaxonnai trois fois pour dire adieu au Fanoir, à cette chimérique demeure et à la lourde table de calcaire qui la surplombait.

Je m'arrêtai une dizaine de kilomètres plus loin dans une auberge qui dominait la plaine suisse. Au loin les cimes des Alpes étaient des chapelles ardentes. En contrebas, une micheline rouge sinuait dans les prés, lâchant de petits jets de fumée. Je demandai la date au patron : on était le 19 août, j'avais passé trois jours et trois nuits cloîtrée dans les sous-sols du chalet. Je pris une chambre, me débarbouillai et commandai un repas pantagruélique malgré l'heure matinale. Sous l'œil admiratif du cuisinier, je dévorai un civet de marcassin, des cochonnailles, un gratin de courgettes et de pommes de terre, deux saucisses de Morteau, une salade, un plateau de fromages locaux, le tout arrosé d'un délicieux vin de pays. Je devais cette grande bouffe à Benjamin, j'avais contracté cette dette envers lui. Je me goinfrai pendant deux heures, dans le jardin en terrasse, suspendu au-dessus de la pente. Le soleil tapait dur, sa morsure était exquise. J'avais refusé un parasol. Je passai le reste de la journée à vomir ce que j'avais ingéré, mon estomac à jeun depuis soixante-douze heures se rebellait contre cet afflux soudain de nourriture mais je m'en moquais bien. Hoqueter au-dessus d'un lavabo, rendre mes tripes me prouvait au moins que j'étais vivante.

Il me restait une chose à accomplir : retrouver Aïda. Je l'avais abandonnée alors que le hasard me *l'avait envoyée pour prendre soin d'elle. C'était Aïda l'être signe, l'envoyée du destin et non Benjamin. Elle avait éveillé en moi une émotion qu'aucun être humain n'avait suscitée depuis longtemps. Elle possédait le privilège absolu, le privilège des commencements l'irrésistible entrain de l'enfance. Quand Dieu a choisi d'incarner la perfection sur terre, il a créé les petites filles.*

Aïda était un chef-d'œuvre de grâce et de vivacité. Je rêvais de la prendre dans mes bras, d'embrasser ses joues rondes, de guetter ses yeux coquins, de rire à ses pitreries. Ma faiblesse d'adulte jointe à sa fragilité ferait presque la force d'un humain ordinaire. Je repartis le lendemain sur Paris espérant qu'il n'était pas trop tard. Je la retrouvai chez une voisine de sa grand-mère que je réussis à convaincre de me la laisser pour les vacances. Nous passâmes un été merveilleux entre Jura et Haute-Savoie. Ce fut un mois de conciliabules heureux, de confidences et de gourmandises partagées. Elle se pendait à mon cou à tout instant, se vautrait sur moi, vivait mon corps comme un prolongement du sien. J'étais sa chose, sa propriété. Je tentais d'apprivoiser cette polissonne que je chérissais déjà comme ma propre fille et qui me restait pourtant étrangère. Parfois elle fondait en larmes, m'accusait d'avoir fait enfermer sa grand-mère, me repoussait. A la rentrée j'entamais une procédure officielle d'adoption, arguant de ma stérilité. Ma qualité de médecin, les circonstances dans lesquelles j'avais rencontré Aïda, devaient m'aider, en dépit de mon célibat, à fléchir les rigueurs de l'administration. En attendant, placée dans une institution d'accueil, elle avait droit de me rendre visite deux jours par semaine. Une enquête de moralité était en cours sur moi. Je repris la faculté, ma thèse, l'hôpital.

Six mois plus tard, un après-midi de décembre j'avais effacé cette histoire de mon esprit, j'étais dans une longue convalescence mentale quand Aïda qui jouait dans une pièce à côté m'appela. Elle désirait me faire entendre quelque chose : un fragment de la minicassette trouvée près du Fanoir en août. Je l'avais enclenchée tout de suite dans l'autoradio le matin où je l'avais déterrée mais la bande en était bloquée. Des fragments de terre devaient obstruer le mécanisme des petites roues crantées. Je l'aurais jetée si Aïda qui l'avait retrouvée plus tard dans la boîte à gants n'avait insisté pour la garder.

Elle manifestait pour l'univers des sons un véritable engouement, démontait, émerveillée, de vieux transistors. Elle restait des heures, collée au poste de radio, à localiser des stations inconnues sur les longueurs d'onde, captivée par les dizaines de langues qui se chevauchaient. Elle reprenait et trafiquait toutes mes cassettes, les débobinant comme un interminable tricot. Celle-ci, elle n'avait cessé de la réécouter, cherchant une cohérence derrière les crachotements. A force de la « bidouiller » et de la « débruiter » sur les conseils d'un professeur en électro-acoustique avec qui elle était en correspondance, elle avait réussi après de longues semaines à en reconstituer cinq minutes sur les soixante. J'eus une douloureuse intui-

tion quand elle engagea la petite cartouche dans le lecteur. Il s'agissait d'une conversation hachurée, d'un dialogue entre deux femmes, une jeune, une plus âgée. La première, au bord des larmes, s'exprimait dans un filet de voix. L'autre, plus sèche, avait des intonations sarcastiques. L'échange était entrecoupé de sifflements. Voilà à peu près ce qu'elles se disaient :

« — ... un être malfaisant de par sa faiblesse même, dès mon retour, je balance tout à la presse, aux éditeurs... preuves ligne à ligne de son plagiat...

« — ... feriez cela ? Laissez-moi rire... n'en êtes pas capable...

« — ... me connaissez mal... ne s'est pas contenté de vous obéir, a collaboré avec enthousiasme... me dégoûte.

« — ... pauvre type... l'avons complètement retourné... pensais que vous l'adoriez... vous a effacé de son esprit... s'en tape complètement de votre captivité...

(Ici des phrases se télescopaient, des parasites et un effet de souffle rendaient la bande inaudible qui reprenait un peu plus loin.)

« — ... rêve de revanche dans les moments de désespoir... j'ai détruit toutes les preuves de son plagiat (Bruits de sanglots) toutes... ne le sais pas... avez raison... son dénuement me touche, cet instinct de trahir non par vilenie mais par peur... (Reniflements) je l'aime plus que jamais... vous m'avez cité un philosophe grec : nul n'est méchant volontairement... l'ai dans la peau... vivre avec lui à nouveau (Nouveaux sanglots)... ma seule vengeance sera le pardon... »

Épilogue

J'avais tout de suite identifié les interlocutrices. Je devais être livide. Je m'allongeai pour ne pas perdre connaissance. Aïda remarqua mon trouble. J'arguai d'un mal de tête, d'une indigestion. J'ai réécouté plusieurs fois cette cassette. Je l'ai jetée. Je n'ai jamais mentionné à Aïda ma visite au Fanoir ni le récit de Benjamin.

J'exerce depuis à l'hôpital de P.V. et en consultation privée dans un cabinet médical. J'ai surmonté la plupart de mes réticences vis-à-vis du dérangement psychique. J'ai même découvert la joie perverse de ne pas vouloir guérir mes patients, de les entretenir dans leurs névroses. J'aime qu'ils aient besoin de moi. Parfois je m'endors tandis qu'ils marmonnent leurs petites infortunes. Entre chaque séance je me donne quelques minutes pour écouter un air de Mozart, Bach ou Schubert : la musique reste un talisman contre les blessures du monde. Je ne suis pas plus mauvaise qu'une autre. Aïda apprend l'arabe en souvenir de sa mère. Je m'y mets aussi : elle est plus douée que moi. Elle m'appelle sa petite maman-loukoum. Je suis retournée au Maroc plusieurs fois, j'ai revu mon père. Je suis guérie des hommes pour quelque temps : l'affection que je porte à Aïda me suffit. Et je quête des plaisirs plus subtils que les prouesses éclatantes du corps.

Mais par-dessus tout j'attends : qu'une dame d'âge mûr entre un jour dans mon bureau et me dise avec un timbre de jeune fille :

— *Je vais vous paraître folle; j'ai l'air d'avoir 60 ans, n'est-ce pas? J'en ai en réalité 25. Je n'ai aucun moyen de vous le prouver. Je vous supplie seulement d'écouter mon histoire et de ne pas me chasser avant que j'aie terminé.*

Oui, je sais qu'un jour quelqu'un franchira le seuil de mon cabinet et me confirmera les sinistres aveux.

Ce sera peut-être Hélène.

Je l'attends de pied ferme pour lui certifier que je la crois, que je suis prête à l'aider.

Je sais aussi que les vandales guettent dans l'ombre et poursuivent leur obscur travail de profanation.

Je passe souvent aux urgences de l'Hôtel-Dieu. J'espère à tout hasard croiser Benjamin. J'ai gardé son masque, son bonnet troué, son plan qui se décolore. Je suis sûre qu'il lui reste beaucoup à me dire.

TABLE

Cet ouvrage a été réalisé par la
SOCIÉTÉ NOUVELLE FIRMIN-DIDOT
Mesnil-sur-l'Estrée
pour le compte des Éditions Grasset
en janvier 1998

Imprimé en France
Première édition, dépôt légal : août 1997
Nouveau tirage, dépôt légal : janvier 1998
N° d'édition : 10671 - N° d'impression : 41550
ISBN : 2-246-49371-4